POURQUOI LE CIEL EST-IL BLEU?

Des réponses à cette question et à toutes celles que tu as toujours eu envie de poser

DAVID WEST – JEANNIE HENNO

Éditions Gamma – Éditions Héritage

Pour Jeanne et Paul

L'édition originale
de cet ouvrage
a paru sous le titre :
Why Is The Sky Blue?
Copyright © David West, 1991
Édition originale publiée par :
Simon & Schuster Young Books
Hemel Hempstead
HP2 4SS Angleterre

Adaptation française
de Jeannie Henno
Copyright © Éditions Gamma,
Tournai, 1992
D/1992/0195/73
ISBN 2-7130-1359-3
(édition originale :
ISBN 0-7500-0858-X)

Exclusivité au Canada :
Les Éditions Héritage Inc.,
300, rue Arran
Saint-Lambert, Québec, J4R 1K5
Dépôts légaux, 3e trimestre 1992
Bibliothèque nationale du Québec
Bibliothèque nationale du Canada
ISBN 2-7625-6899-4

Imprimé en Belgique

INTRODUCTION

Les humains se sont toujours posé des questions. L'homme préhistorique, déjà, a dû se demander pourquoi le soleil se couchait le soir et comment le feu rayonnait de la chaleur. C'est seulement en mettant en question ce qui est considéré comme une chose établie que nous approfondissons nos connaissances sur notre petite planète et sur l'Espace infini qui l'entoure. C'est notre nature curieuse qui a permis l'évolution de l'espèce qui, du singe jetant des pierres d'il y a dix millions d'années, a mené au technicien actuel travaillant sur ordinateur.

SOMMAIRE

NOTRE MONDE

Pourquoi voyons-nous l'éclair avant d'entendre le tonnerre?

L'éclair est une lueur qui se produit dans le ciel lorsque les nuages déchargent leur électricité. Le tonnerre est le bruit produit par la dilatation de l'air au passage de l'éclair. La lumière voyage 100 000 fois plus vite que le son: 300 000 km/s pour la lumière, 345 m/s seulement pour le son. Nous voyons donc l'éclair avant d'entendre le tonnerre. Le temps qui s'écoule entre l'éclair et le coup de tonnerre permet de calculer à quelle distance se trouve l'orage: 3 secondes représentent une distance d'un kilomètre.

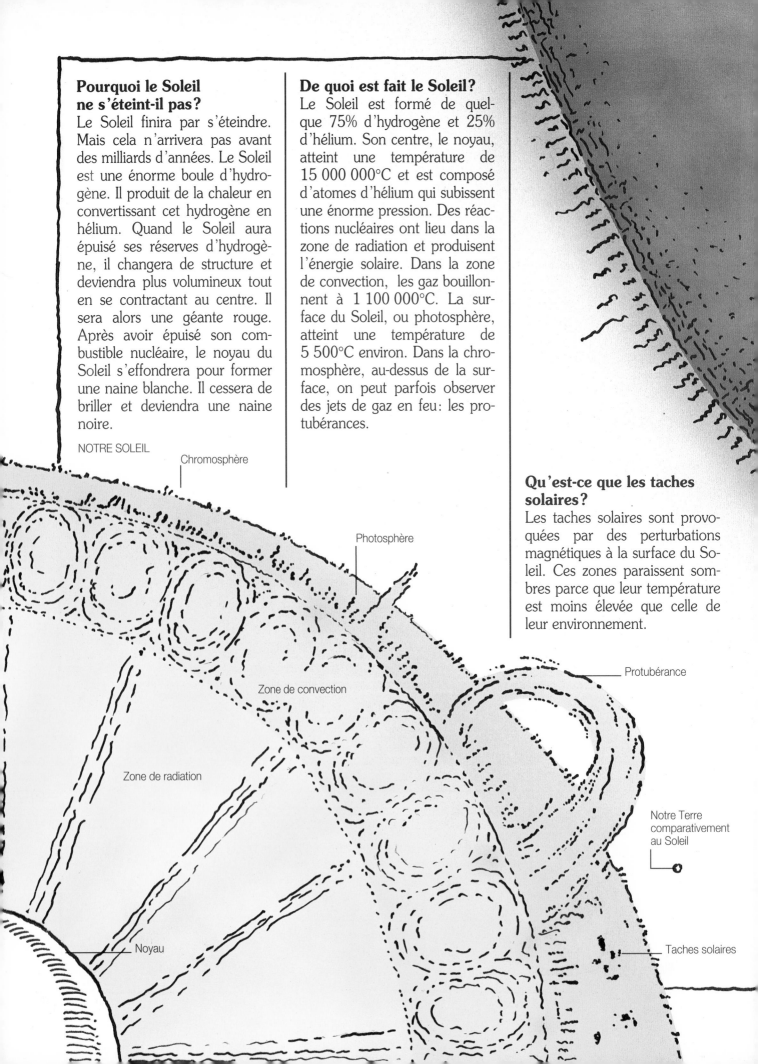

Pourquoi le Soleil ne s'éteint-il pas?

Le Soleil finira par s'éteindre. Mais cela n'arrivera pas avant des milliards d'années. Le Soleil est une énorme boule d'hydrogène. Il produit de la chaleur en convertissant cet hydrogène en hélium. Quand le Soleil aura épuisé ses réserves d'hydrogène, il changera de structure et deviendra plus volumineux tout en se contractant au centre. Il sera alors une géante rouge. Après avoir épuisé son combustible nucléaire, le noyau du Soleil s'effondrera pour former une naine blanche. Il cessera de briller et deviendra une naine noire.

NOTRE SOLEIL

De quoi est fait le Soleil?

Le Soleil est formé de quelque 75% d'hydrogène et 25% d'hélium. Son centre, le noyau, atteint une température de 15 000 000°C et est composé d'atomes d'hélium qui subissent une énorme pression. Des réactions nucléaires ont lieu dans la zone de radiation et produisent l'énergie solaire. Dans la zone de convection, les gaz bouillonnent à 1 100 000°C. La surface du Soleil, ou photosphère, atteint une température de 5 500°C environ. Dans la chromosphère, au-dessus de la surface, on peut parfois observer des jets de gaz en feu: les protubérances.

Qu'est-ce que les taches solaires?

Les taches solaires sont provoquées par des perturbations magnétiques à la surface du Soleil. Ces zones paraissent sombres parce que leur température est moins élevée que celle de leur environnement.

Chromosphère

Photosphère

Zone de convection

Zone de radiation

Noyau

Protubérance

Notre Terre comparativement au Soleil

Taches solaires

Qu'est-ce qu'une naine blanche?

Il s'agit d'une petite étoile très dense, peu volumineuse et assez chaude, qui représente le stade ultime d'évolution des étoiles peu massives. Lorsqu'un astre a épuisé ses réserves de combustible nucléaire, il se contracte. Les nuages gazeux ne laissent qu'un noyau résiduel qui s'effondre pour donner une naine blanche. En refroidissant, elle devient une naine noire, un bloc de matière inobservable.

Naine noire

Géante rouge

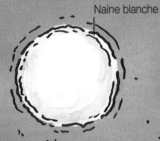

Naine blanche

Qu'est-ce qu'une géante rouge?

Une étoile qui a brûlé tout son hydrogène se refroidit, ce qui provoque un accroissement des réactions nucléaires en son centre. L'énergie dégagée par le noyau entraîne également de nouvelles réactions nucléaires dans les gaz extérieurs en expansion. L'étoile continue à augmenter de volume et, observée au télescope, paraît rouge. Les géantes rouges peuvent avoir un rayon cent fois supérieur à celui du Soleil.

Qu'est-ce qu'un trou noir?

Les trous noirs se forment quand les étoiles massives sont à la fin de leur vie. À ce stade, l'étoile s'affaisse et devient énormément dense. Sa force d'attraction est alors telle que si un astronaute aspiré par elle essayait d'envoyer un message lumineux, nous ne le verrions pas, car la lumière ne parviendrait pas à s'échapper!

Qu'est-ce qui provoque un tremblement de terre?

La surface de la Terre peut être comparée à une coquille brisée en une vingtaine de plaques. Ces plaques se déplacent constamment, mais très lentement. Ce faisant, elles soumettent leurs bords à une forte tension. Lorsque deux plaques se heurtent, la terre tremble. Les ondes de choc s'étendent en tous sens, mais pas toutes à la même vitesse. L'énergie des ondes sismiques d'un violent tremblement de terre peut égaler celle dégagée par l'explosion de 200 millions de tonnes de TNT.

Deux plaques glissent l'une contre l'autre.

La tension s'accumule.

Tremblement de terre

D'où vient la lave?

La Terre est formée de couches successives. La couche de surface, froide et solide, est appelée croûte ou écorce terrestre. En dessous, on trouve le manteau, principalement composé de roches à l'état solide, bien que très chaudes. Le centre, appelé noyau, est liquide à l'extérieur et solide à l'intérieur. Sa température (2 200°C) est telle que les roches du manteau fondent, produisant une grande quantité de gaz. La roche en fusion, appelée magma, est plus légère et monte vers la surface à travers le manteau. Elle s'accumule dans des réservoirs. La pression y est très forte à cause des gaz. Là où l'écorce terrestre est plus mince, le magma parvient à la percer. Il jaillit à la surface lors de l'éruption d'un volcan et porte le nom de lave.

Quelle est l'origine des montagnes?

Les plaques de l'écorce terrestre sont mobiles. En se heurtant, elles forment des montagnes plissées. Lorsque les plaques s'écartent, des roches peuvent s'insinuer vers le haut et former une crête; elles peuvent aussi s'effondrer, formant une vallée escarpée. Parfois, le magma qui se fraie un chemin vers la surface forme des montagnes.

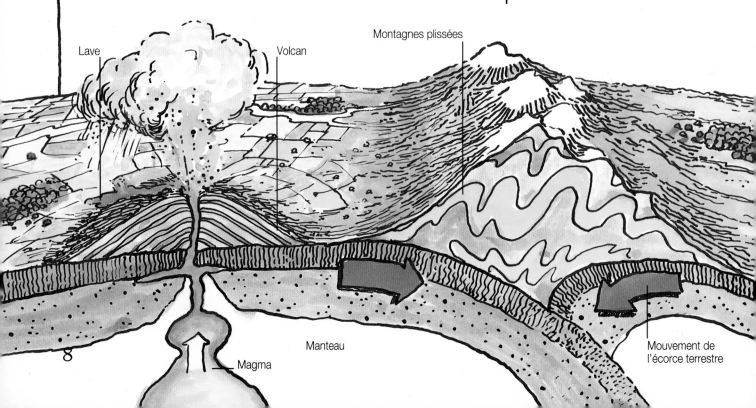

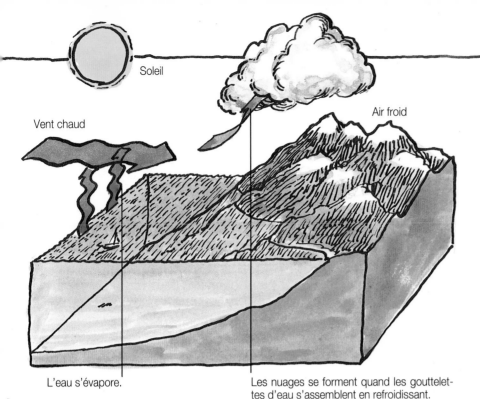

Vent chaud

Soleil

Air froid

L'eau s'évapore.

Les nuages se forment quand les gouttelettes d'eau s'assemblent en refroidissant.

D'où viennent les nuages?

L'air contient toujours de la vapeur d'eau. En effet, la chaleur du soleil fait évaporer l'eau de surface des rivières, des lacs et des mers. Si la vapeur d'eau vient à se refroidir, par exemple parce que des vents forcent l'air à s'élever au-dessus de montagnes, la vapeur se condense en minuscules gouttelettes d'eau qui, assemblées, forment un nuage. En hiver, s'il fait particulièrement froid, la vapeur d'eau de ton haleine se condense aussi en gouttelettes quand tu expires; tu crées alors une sorte de petit nuage.

D'où vient le vent?

Le soleil réchauffe les terres et les mers, mais de façon inégale; certains endroits sont plus chauds que d'autres. L'air chaud se dilate et monte vers le ciel. De l'air plus frais prend aussitôt sa place. Ce sont ces mouvements d'air que nous appelons vents.

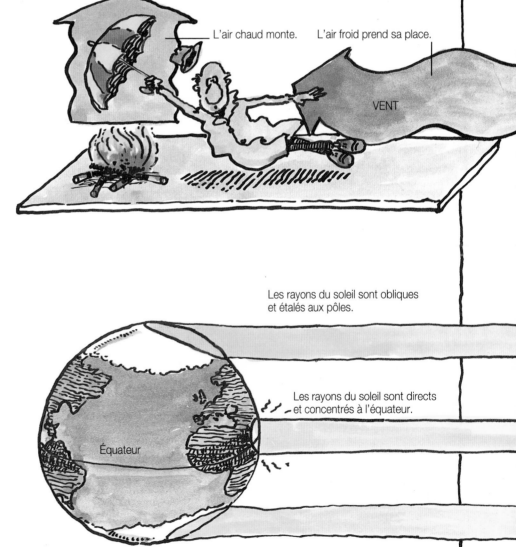

L'air chaud monte.

L'air froid prend sa place.

VENT

Les rayons du soleil sont obliques et étalés aux pôles.

Les rayons du soleil sont directs et concentrés à l'équateur.

Équateur

Pourquoi fait-il plus chaud à l'équateur qu'aux pôles?

Comme la Terre est ronde et inclinée, qu'elle tourne sur elle-même et autour du Soleil, toutes les parties de la Terre ne reçoivent pas la même quantité de chaleur solaire. À l'équateur, le Soleil est haut dans le ciel à midi; ses rayons frappent verticalement le sol, touchent une surface réduite et la chauffent fort. Mais près des pôles, le Soleil est bas. Ses rayons, qui frappent très obliquement le sol et sont plus étalés, chauffent beaucoup moins.

Quel est l'âge de la Terre?

Ainsi que le reste du système solaire, la Terre s'est formée il y a environ 4,5 milliards d'années. La première forme de vie est vraisemblablement apparue, il y a 3,5 à 4 milliards d'années.

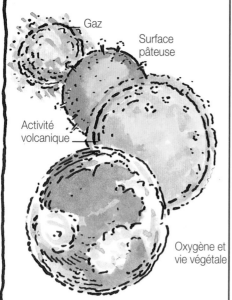

Gaz

Surface pâteuse

Activité volcanique

Oxygène et vie végétale

De quoi est faite l'écorce terrestre?

L'écorce terrestre, qui forme les continents et le fond des océans, est composée de roches. La plupart sont ce que les chimistes appellent des silicates, c'est-à-dire des composés d'oxygène (47% du poids), de silicium (28%) et d'aluminium (8%). On trouve aussi 5% de fer, 3,5% de calcium ainsi que de plus petites quantités d'autres éléments.

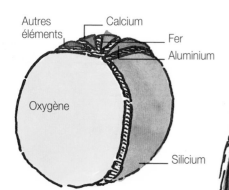

Autres éléments

Calcium

Fer

Aluminium

Oxygène

Silicium

Qu'y a-t-il au centre de la Terre?

Le noyau central est composé de deux parties: le noyau externe, liquide, et le noyau interne, solide. Le noyau externe commence à quelque 2 900 km de la surface. Il est fait principalement de fer fondu ainsi que de nickel et d'autres éléments en plus petites quantités. Sa température passe de 2 000°C à 4 500°C. Le noyau interne commence à environ 5 000 km de la surface et a une épaisseur de 2 800 km environ. Il est également composé de fer et de nickel, mais solidifiés. Sa pression est très élevée et sa température dépasse les 6 000°C. Du moins les savants pensent qu'il en est ainsi, mais personne n'en est sûr. Le trou le plus profond jamais creusé n'a percé qu'un sixième de pourcent de l'épaisseur totale.

Pourquoi la boussole indique-t-elle le Nord?

Au pôle Nord géographique, une boussole marque la direction du Sud. En effet, l'aiguille aimantée de la boussole indique toujours le Nord magnétique qui ne correspond pas au Nord géographique: le Nord magnétique se situe dans l'océan Arctique, au nord du Canada. À cet endroit, l'aiguille d'une boussole tourne sur elle-même, ne sachant dans quelle direction pointer. Mais si tu tournes la boussole sur le côté, tu verras que l'aiguille pointe vers le bas, vers le Nord magnétique, juste sous tes pieds.

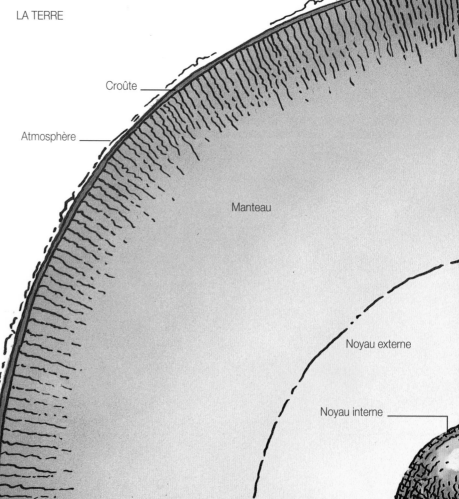

LA TERRE

Croûte

Atmosphère

Manteau

Noyau externe

Noyau interne

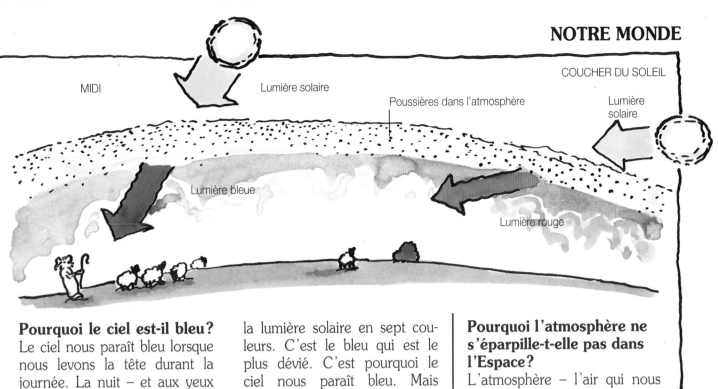

MIDI

Lumière solaire

Poussières dans l'atmosphère

COUCHER DU SOLEIL

Lumière solaire

Lumière bleue

Lumière rouge

Pourquoi le ciel est-il bleu?

Le ciel nous paraît bleu lorsque nous levons la tête durant la journée. La nuit – et aux yeux d'un astronaute dans l'Espace – le ciel est noir. Si le ciel nous paraît bleu le jour, c'est à cause des gaz et des poussières en suspension dans l'air. Ces gaz et ces poussières décomposent la lumière solaire en sept couleurs. C'est le bleu qui est le plus dévié. C'est pourquoi le ciel nous paraît bleu. Mais quand la lumière doit traverser une couche d'air plus épaisse, à l'aube et au crépuscule – ou s'il y a beaucoup de poussières dans l'air –, c'est le rouge qui est dévié davantage, et le ciel devient rose ou rouge. La nuit, nous ne recevons pas la lumière solaire; par conséquent, le ciel nous paraît noir.

Pourquoi l'atmosphère ne s'éparpille-t-elle pas dans l'Espace?

L'atmosphère – l'air qui nous entoure – est formée de gaz. Elle semble ne rien peser, mais, en réalité, elle pèse plus de 4 500 billions de tonnes! Comme tout ce qui existe sur la Terre, elle est maintenue en place par la force d'attraction de la Terre, qu'on appelle gravité ou pesanteur. La masse d'air qui se trouve au-dessus de ta tête et qui exerce une pression sur toi pèse près d'une tonne. Tu ne le sens pas parce que, de l'intérieur de ton corps, une pression égale s'exerce vers l'extérieur.

Qu'appelle-t-on «effet de serre»?

Certains gaz de l'atmosphère terrestre, comme le dioxyde de carbone et le méthane, réchauffent la Terre. Ces gaz sont connus sous le nom de gaz à effet de serre. Les rayons du soleil traversent l'atmosphère et chauffent le sol. Ce dernier, à son tour, renvoie une partie du rayonnement solaire vers l'atmosphère. Mais la chaleur renvoyée par la surface terrestre n'a pas la même longueur d'onde et ne suit pas exactement le même chemin. Au lieu de se perdre dans l'Espace, elle reste bloquée par les gaz à effet de serre. Un accroissement de la quantité de ces gaz entraînerait donc un réchauffement de la Terre. Ces gaz ont été appelés «à effet de serre» parce que le verre d'une serre a le même effet qu'eux.

EFFET DE SERRE

Une partie de la chaleur est réfléchie dans l'Espace.

Chaleur solaire

Gaz à effet de serre

Le rayonnement terrestre est en partie renvoyé vers la Terre, provoquant une élévation de la température.

Les gaz à effet de serre proviennent de la combustion de combustibles fossiles dans les autos, l'industrie et les centrales électriques.

Le méthane est un gaz à effet de serre.

Ultraviolet

Le chlore attaque l'ozone.

Chlore provenant des CFC

Ozone

Les CFC atteignent la couche d'ozone.

Qu'est-ce que la couche d'ozone?

L'oxygène est un gaz. Une molécule d'oxygène est composée de deux atomes. Les chimistes lui donnent la formule O_2. L'ozone est une forme d'oxygène; sa molécule contient trois atomes (formule O_3). À 30 km environ dans l'atmosphère, les rayons ultraviolets du soleil séparent l'oxygène ordinaire en atomes qui se combinent avec d'autres molécules d'oxygène pour former l'ozone. La couche d'ozone est très utile, car elle filtre les rayons du soleil et bloque les dangereux ultraviolets qui, sans elle, atteindraient la surface de la Terre. Les rayons du soleil peuvent aussi décomposer en substances qui détruisent l'ozone les CFC (chlorofluorocarbones) utilisés dans les réfrigérateurs et comme gaz propulseurs dans les aérosols. C'est pourquoi beaucoup s'efforcent d'interdire l'usage des CFC.

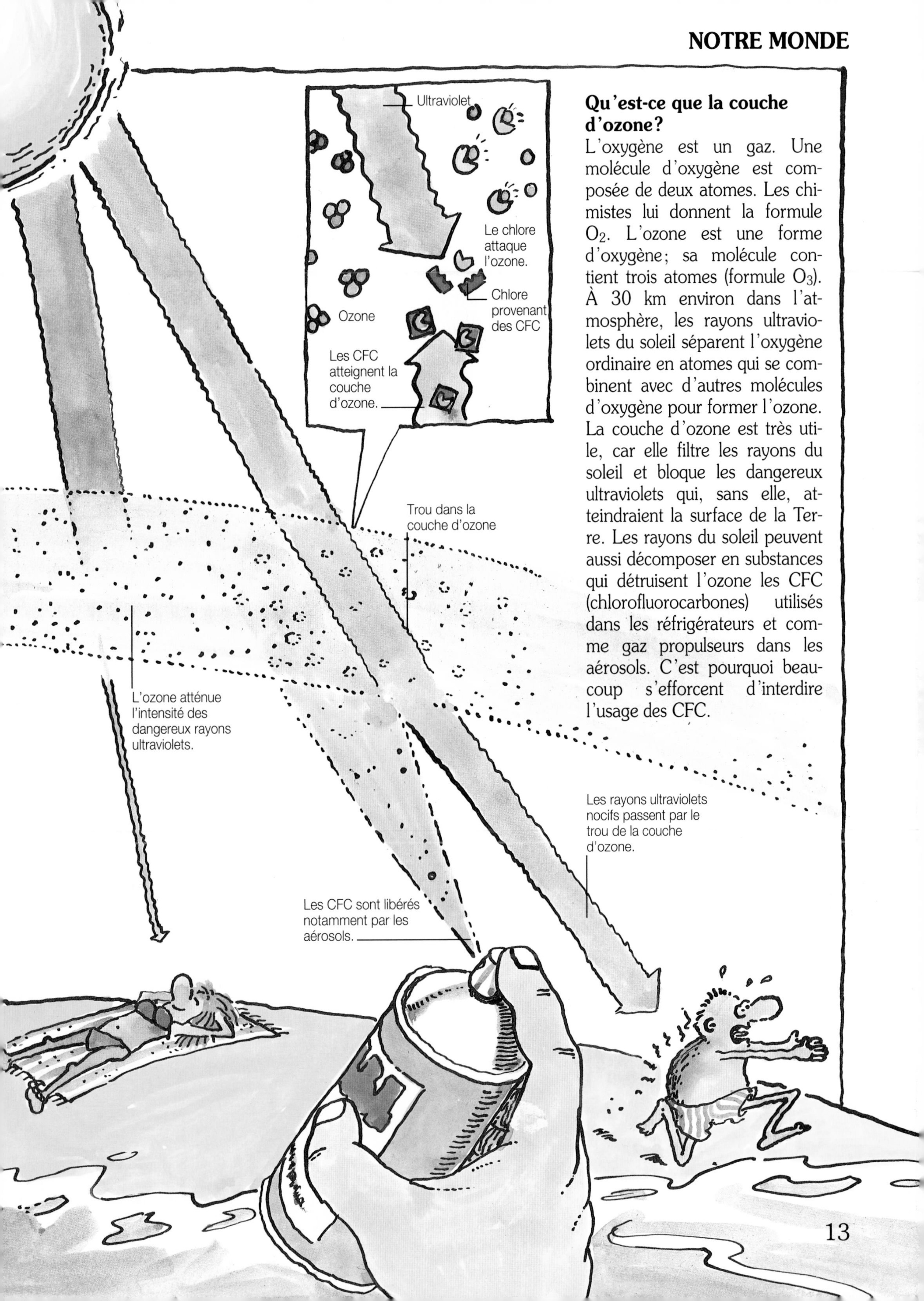

Trou dans la couche d'ozone

L'ozone atténue l'intensité des dangereux rayons ultraviolets.

Les rayons ultraviolets nocifs passent par le trou de la couche d'ozone.

Les CFC sont libérés notamment par les aérosols.

Pourquoi la mer est-elle salée?

Le sel vient généralement de la mer. Son nom chimique est chlorure de sodium. L'eau de mer contient environ 3,5% de sels, principalement du chlorure de sodium. C'est pourquoi elle est plus dense que l'eau douce et n'est pas potable. Certains scientifiques pensent que le sel contenu dans les roches est dissous par l'eau de pluie et que les fleuves l'apportent dans la mer. Mais ils ne s'expliquent pas pourquoi l'eau de mer ne devient pas de plus en plus salée; son taux de salinité n'évolue pratiquement pas.

Certaines mers sont si salées qu'un baigneur y flotte sans effort.

Pourquoi l'oxygène ne s'épuise-t-il pas?

Il y a beaucoup d'oxygène dans l'atmosphère. Mais s'il n'était pas renouvelé, il s'épuiserait graduellement du fait de la respiration de tout ce qui vit et des réactions chimiques telles que la combustion. Les plantes renouvellent l'oxygène. Elles absorbent le gaz carbonique de l'air et tirent l'eau du sol; puis elles utilisent l'énergie solaire pour transformer ces substances en nourriture et en oxygène. Ce processus est la photosynthèse. Le plancton marin produit énormément d'oxygène.

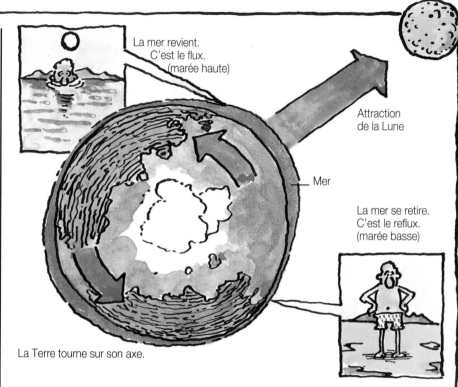

La mer revient. C'est le flux. (marée haute)

Attraction de la Lune

Mer

La mer se retire. C'est le reflux. (marée basse)

La Terre tourne sur son axe.

Où va la mer à marée basse?

Les heures des marées varient dans le monde. Quand c'est marée basse à un endroit, c'est marée haute à un autre. Les marées sont dues à l'attraction exercée par la Lune sur les océans et les mers et, dans une moindre mesure, par la force d'attraction du Soleil. La marée haute a lieu non seulement sur la région la plus proche de la Lune, mais aussi aux antipodes, c'est-à-dire sur la face opposée, car la Terre elle-même est attirée par la Lune. La Terre tourne continuellement sur son axe. Environ six heures après une marée haute à un endroit donné, la Terre aura effectué un quart de tour sur son axe. La mer n'est plus directement sous la Lune et ne subit donc plus son attraction. C'est alors la marée basse.

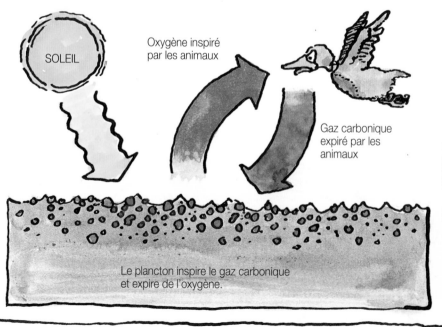

SOLEIL

Oxygène inspiré par les animaux

Gaz carbonique expiré par les animaux

Le plancton inspire le gaz carbonique et expire de l'oxygène.

14

TON CORPS

Pourquoi frissonnes-tu quand tu as froid?

Les frissons sont dus à de multiples contractions rapides des muscles. En travaillant ainsi, les muscles engendrent de la chaleur: c'est pourquoi tu as chaud après avoir fait de l'exercice. Les frissons permettent donc de se réchauffer.

Pourquoi a-t-on la chair de poule quand on a froid?

Tout notre corps, à l'exception des lèvres, de la paume des mains et de la plante des pieds, est couvert de poils, parfois si fins et si petits qu'on les remarque à peine. Quand nous avons froid, un minuscule muscle situé à la racine du poil dresse celui-ci. Les poils hérissés emprisonnent l'air. La couche isolante ainsi formée ralentit la perte de chaleur. L'action du muscle provoque aussi un petit renflement à la base du poil, qui donne cet effet de chair de poule.

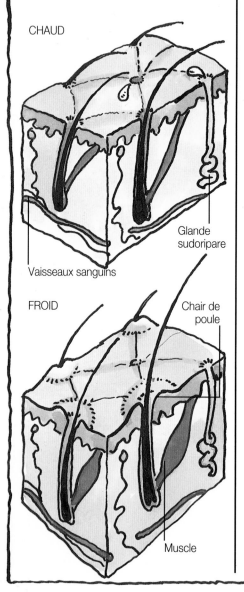

CHAUD

Vaisseaux sanguins

Glande sudoripare

FROID

Chair de poule

Muscle

Glande sudoripare

Pourquoi transpires-tu quand tu as chaud?

Quand tu as chaud après un exercice physique ou quand tu as de la fièvre, tu transpires: de petites glandes de la peau évacuent la sueur, un liquide légèrement salé qui contient 99% d'eau. L'eau s'évapore et, ce faisant, absorbe la chaleur de ta peau et te rafraîchit. Dans les régions chaudes et humides, l'eau ne s'évapore pas. La sueur coulera donc en gouttes sur la peau. Dans un tel climat, la transpiration ne rafraîchit donc pas autant.

Pourquoi la peau brunit-elle au soleil?

Quand la peau est exposée au soleil, ses cellules produisent une substance appelée mélanine qui donne le hâle. Une peau bronzée supporte mieux le soleil. Mais une trop longue exposition peut entraîner des brûlures, voire un cancer de la peau.

Pourquoi rougis-tu?

Quand tu rougis, tu peux sentir brûler tes joues. Plus tu y penses, plus tu rougis. Tu rougis parce que le sang afflue dans les minuscules vaisseaux sanguins situés juste sous la peau. Souvent, c'est une émotion qui en est la cause; peut-être es-tu embarrassé ou très timide. Boire de l'alcool ou manger des plats épicés peut également faire rougir. Il y a une centaine d'années, la rougeur était trouvée attirante, et les jeunes coquettes se pinçaient les joues pour les colorer.

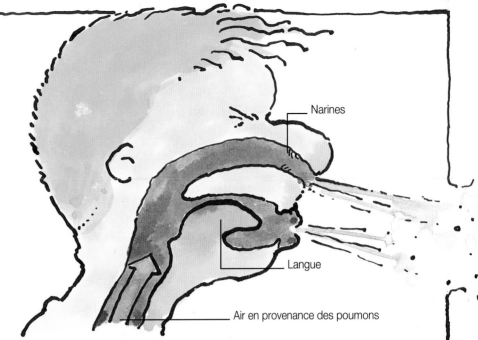

Narines

Langue

Air en provenance des poumons

Pourquoi as-tu de la fièvre quand tu es malade?

Parfois, quand tu es malade, la température de ton corps s'élève au-dessus de 37°C. Cette élévation de la température, qu'on appelle de la fièvre, est causée par les microbes qui te rendent malade. Les microbes agissent sur la partie du cerveau chargée de contrôler la température du corps, produisant des substances chimiques qui te donnent froid. Ton corps réagit alors en augmentant sa température.

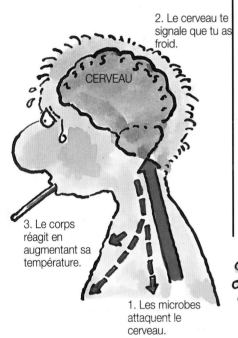

2. Le cerveau te signale que tu as froid.

CERVEAU

3. Le corps réagit en augmentant sa température.

1. Les microbes attaquent le cerveau.

Pourquoi n'y a-t-il aucun remède contre le rhume?

Le rhume est provoqué par des microbes. Ces virus changent tout le temps. Il n'y a pas de remède spécifique contre le rhume, mais seulement des médicaments qui en soulagent les symptômes désagréables. Si les scientifiques trouvaient un vaccin contre une forme particulière du virus du rhume, il ne serait d'aucune utilité contre les autres virus qui le provoquent.

Pourquoi éternue-t-on?

On éternue quand quelque chose nous chatouille dans le nez. Ce chatouillement peut être dû à une poussière ou à l'inflammation qui accompagne un rhume ordinaire ou un rhume des foins. Certains éternuent aussi quand ils regardent une lumière vive. Quand nous éternuons, la langue bloque le fond de la bouche, et nous expirons violemment par le nez. Des gouttelettes d'eau sont alors envoyées dans l'air à la vitesse de 150 km/h. C'est surtout ainsi que les microbes se propagent. Le record du monde en matière d'éternuement est détenu par une jeune Anglaise qui a éternué sans arrêt pendant 32 mois!

Un vaccin ne pourrait protéger contre les nombreux types de virus qui provoquent un rhume.

Qu'est-ce qui nous fait bâiller?

Les bâillements peuvent être provoqués par la fatigue, le manque de sommeil ou d'air frais, ou simplement par l'ennui. Parfois, il suffit de voir bâiller quelqu'un pour l'imiter aussitôt. Comme l'éternuement, le bâillement est incontrôlable. La bouche s'ouvre toute grande tandis que tu inspires profondément, puis que tu expires.

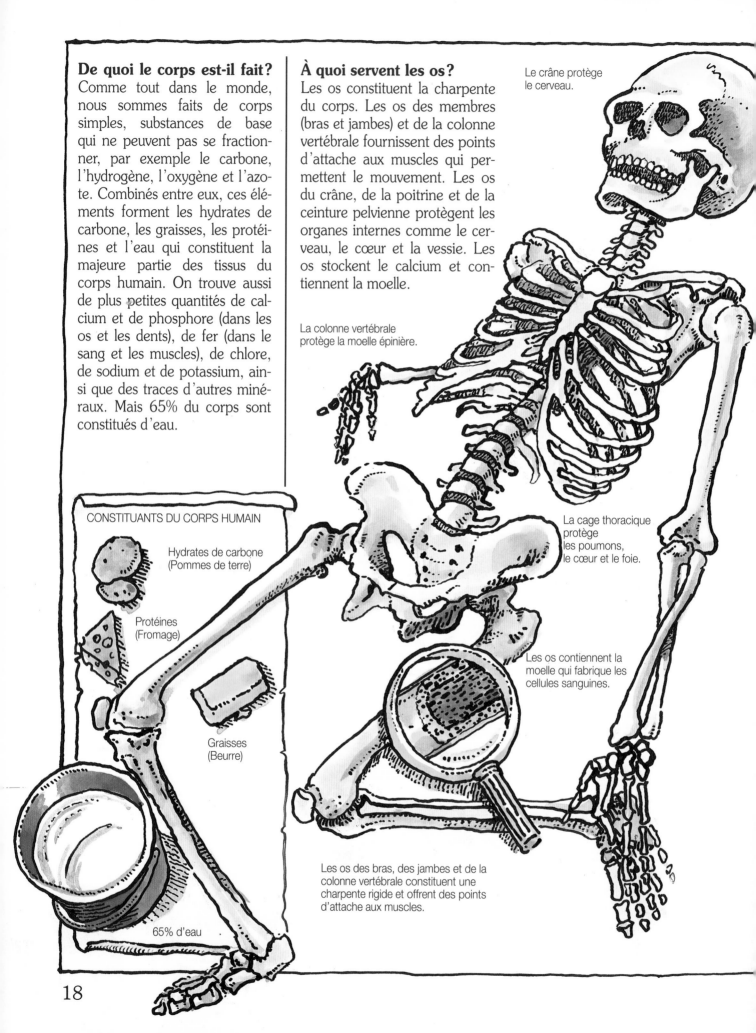

De quoi le corps est-il fait?

Comme tout dans le monde, nous sommes faits de corps simples, substances de base qui ne peuvent pas se fractionner, par exemple le carbone, l'hydrogène, l'oxygène et l'azote. Combinés entre eux, ces éléments forment les hydrates de carbone, les graisses, les protéines et l'eau qui constituent la majeure partie des tissus du corps humain. On trouve aussi de plus petites quantités de calcium et de phosphore (dans les os et les dents), de fer (dans le sang et les muscles), de chlore, de sodium et de potassium, ainsi que des traces d'autres minéraux. Mais 65% du corps sont constitués d'eau.

À quoi servent les os?

Les os constituent la charpente du corps. Les os des membres (bras et jambes) et de la colonne vertébrale fournissent des points d'attache aux muscles qui permettent le mouvement. Les os du crâne, de la poitrine et de la ceinture pelvienne protègent les organes internes comme le cerveau, le cœur et la vessie. Les os stockent le calcium et contiennent la moelle.

Le crâne protège le cerveau.

La colonne vertébrale protège la moelle épinière.

La cage thoracique protège les poumons, le cœur et le foie.

Les os contiennent la moelle qui fabrique les cellules sanguines.

CONSTITUANTS DU CORPS HUMAIN

Hydrates de carbone (Pommes de terre)

Protéines (Fromage)

Graisses (Beurre)

65% d'eau

Les os des bras, des jambes et de la colonne vertébrale constituent une charpente rigide et offrent des points d'attache aux muscles.

18

Combien de muscles y a-t-il dans le corps?

Le corps humain compte plus de 600 muscles. Les muscles représentent plus de 40% du poids du corps.

Le cœur et le système digestif sont aussi constitués de tissu musculaire.

Un plus grand cerveau signifie-t-il plus d'intelligence?

Pas nécessairement. Après tout, l'éléphant et la baleine ont un cerveau beaucoup plus grand que l'homme. Ce qui compte, c'est la taille du cerveau par rapport au reste du corps et, plus encore, la surface de la couche extérieure du cerveau, ou cortex, qui en est la partie «pensante». Chez l'homme, le cortex est plissé comme la coque d'une noix, ce qui lui donne une plus grande surface. Bien que la taille du cerveau varie énormément d'un homme à l'autre, les savants ont constaté que cela ne semble pas influencer leur intelligence.

Cortex

Yeux

Moelle épinière

Pourquoi l'homme marche-t-il debout?

La marche debout est l'un des principaux traits qui différencient l'homme du singe. L'homme a le cerveau plus développé et les muscles des mains plus fins. Comme il ne se déplace plus à quatre pattes, il a les mains libres pour fabriquer des outils et porter des armes de chasse.

Les premiers humains ont commencé à marcher debout il y a environ deux millions d'années.

Lointain ancêtre de l'homme

Homo habilis (homme adroit)

Homo erectus (homme debout)

Homo sapiens (homme moderne)

Qu'arrive-t-il à la nourriture que nous avalons?

Pour que nous puissions retirer de la nourriture tout ce dont nous avons besoin, il faut qu'elle soit décomposée en substances pouvant être absorbées par le corps. Durant la digestion, la salive aide à décomposer les aliments que nous mâchons. Dans l'estomac, les aliments sont réduits en bouillie par les acides et les sucs digestifs. Les substances utiles digérées traversent les parois de l'intestin grêle et passent dans le sang. Les enzymes du foie rendent inoffensifs des poisons comme l'alcool. Le foie emmagasine également le fer, les vitamines et le glucose. Le gros intestin absorbe l'eau des aliments, et les substances non assimilables sont éliminées par l'anus.

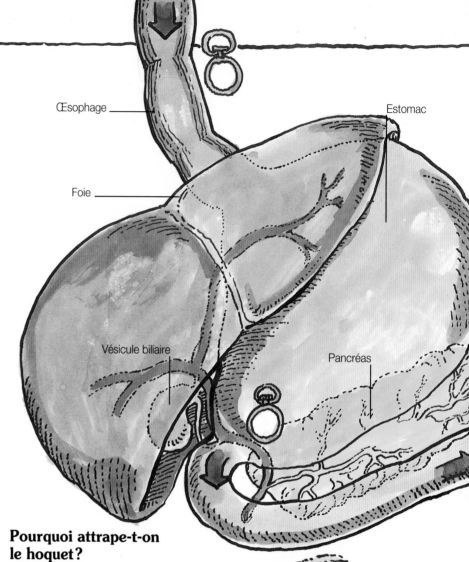

Œsophage

Foie

Vésicule biliaire

Estomac

Pancréas

Quelle quantité de nourriture l'estomac peut-il contenir?

L'estomac d'un adulte peut contenir 0,9 l de nourriture en moyenne. Mais il est élastique et peut en contenir davantage.

Pourquoi attrape-t-on le hoquet?

On peut l'attraper après avoir mangé trop vite, trop chaud ou trop froid, ou après avoir bu une boisson gazeuse. Le diaphragme (muscle entre le ventre et la poitrine) se contracte dans un spasme, ce qui fait inspirer très vite et provoque un bruit au moment où les cordes vocales se ferment brusquement.

Comment faire cesser le hoquet?

Il y aurait plusieurs moyens: faire peur à celui qui en est atteint ou lui mettre un cube de glace dans le bas du dos. Les meilleurs visent à calmer la respiration: boire d'un trait un grand verre d'eau, tenir bloquée la respiration, ou respirer dans un sac en papier (PAS en plastique).

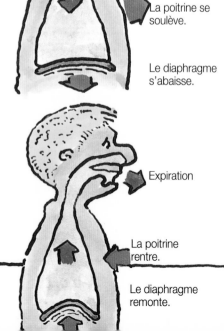

Inspiration

La poitrine se soulève.

Le diaphragme s'abaisse.

Expiration

La poitrine rentre.

Le diaphragme remonte.

Combien de temps faut-il pour digérer un repas?

Un repas moyen reste de deux à quatre heures dans l'estomac avant de passer dans l'intestin grêle. La digestion se poursuit durant quatre à six heures dans ce tube étroit de six mètres de long. Les déchets passent ensuite dans le gros intestin où ils peuvent rester jusqu'à 15 heures. Ce tube de 1,5 m de long absorbe l'eau; les excréments prennent donc une forme semisolide.

Les villosités – minuscules saillies de l'intestin grêle – permettent aux éléments nutritifs de passer dans le sang.

Le sang sort.

Le sang pénètre.

Villosité

Pourquoi rote-t-on?

Nous rotons quand des gaz s'échappent de l'estomac par la bouche. Ces gaz peuvent provenir de boissons gazeuses ou de mets épicés. Certains aliments, comme le concombre, peuvent également faire roter certaines personnes. On peut aussi roter en cas d'indigestion ou lorsqu'on avale beaucoup d'air.

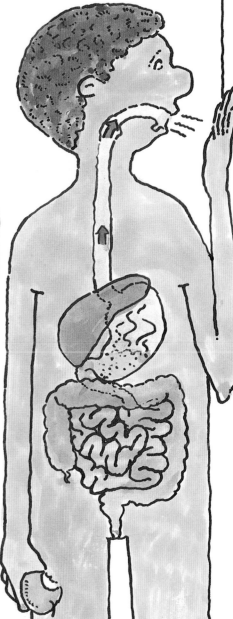

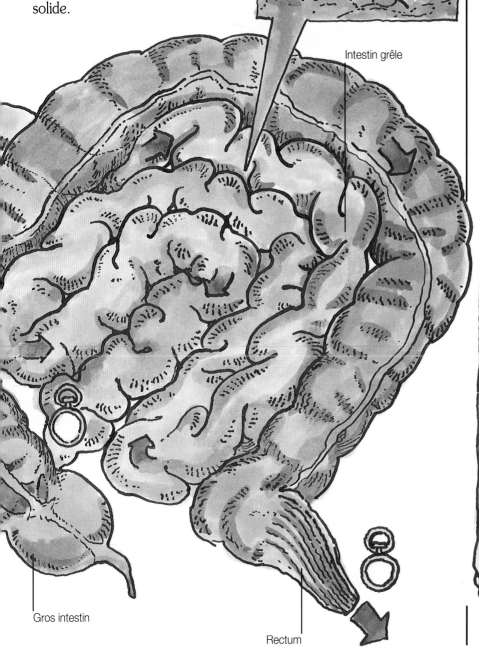

Intestin grêle

Gros intestin

Rectum

Pourquoi le sang est-il rouge?

Le sang humain doit sa couleur à l'hémoglobine, une protéine complexe contenant du fer, qu'on trouve dans les globules rouges. Elle est chargée de transporter l'oxygène et le gaz carbonique entre les poumons et les cellules de l'organisme. Certains animaux sans colonne vertébrale, comme les insectes et les araignées, ont du sang bleu ou vert, cette couleur étant due à la teneur en cuivre.

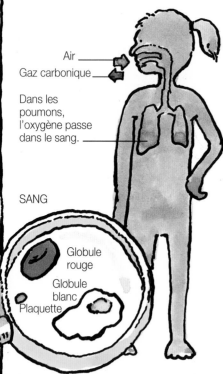

Air
Gaz carbonique
Dans les poumons, l'oxygène passe dans le sang.

SANG

Globule rouge
Globule blanc
Plaquette

Qu'est-ce qu'une crampe?

La crampe est due à un spasme musculaire qui se produit parfois après un exercice violent. Le muscle se contracte, se noue, ce qui provoque une douleur intense. De l'acide lactique se forme lors de la contraction musculaire, quand le sang ne fournit pas assez d'oxygène pour permettre au muscle de continuer à travailler. La crampe cesse généralement lorsque le muscle est reposé.

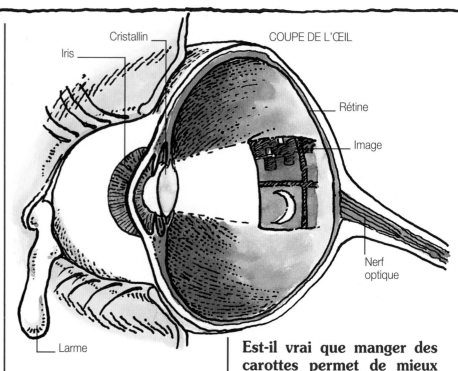

Cristallin
Iris
COUPE DE L'ŒIL
Rétine
Image
Nerf optique
Larme

Pourquoi les larmes sont-elles salées?

Les larmes contiennent du sel ainsi qu'une substance désinfectante qui tue les microbes et empêche ainsi toute infection des yeux. Les larmes sont sécrétées par des glandes situées juste au-dessus du globe oculaire. Certaines personnes ont les yeux secs parce que leurs glandes lacrymales fonctionnent mal. Elles doivent humidifier l'œil avec des gouttes spéciales.

Est-il vrai que manger des carottes permet de mieux voir dans l'obscurité?

Beaucoup le pensent. En réalité, personne ne peut voir dans le noir absolu. Une bonne vision nocturne dépend de la quantité de vitamine A. La rétine, cette membrane sensible à la lumière qui se trouve derrière le globe oculaire, a besoin de cette vitamine. Notre corps en fabrique à partir d'une substance appelée carotène, présente dans les carottes. Un excès de vitamine A est dangereux.

À quoi servent les sourcils?

Les sourcils protègent les yeux de la pluie, tout comme les larmiers, ces saillies de corniche au-dessus des portes et fenêtres. Ils traduisent aussi les sentiments: levés quand tu es surpris, rapprochés quand tu es en colère.

Pourquoi avons-nous des ongles aux mains et aux pieds?

Comme d'autres mammifères, tels que les singes, l'homme a des ongles au lieu de griffes au bout des doigts et des orteils. Nos lointains ancêtres se servaient sans doute de leurs ongles pour se gratter, faire leur toilette et se curer les dents, comme les singes le font toujours. Les ongles soutiennent le bout des doigts quand nous tenons un objet. Les ongles des mains poussent quatre fois plus vite que ceux des pieds. C'est pourquoi nous devons les couper plus souvent.

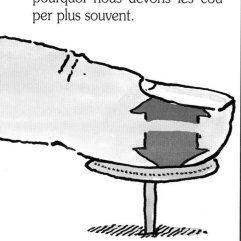

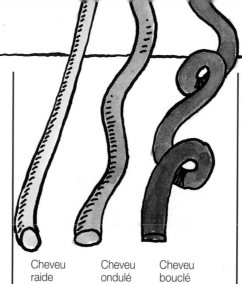

Cheveu raide Cheveu ondulé Cheveu bouclé

Pourquoi certains ont-ils des cheveux raides et d'autres des cheveux bouclés?

Cela dépend de la forme du poil. Le cheveu raide a une coupe circulaire, le cheveu ondulé a une section ovale et le cheveu bouclé une section aplatie. Plus le cheveu est aplati, plus il sera bouclé.

Pourquoi tes oreilles se bouchent-elles dans un avion?

L'oreille moyenne et le fond de la gorge sont reliés par un tube étroit qui, en temps normal, assure une pression égale de part et d'autre du tympan. Quand la pression change rapidement (quand l'avion décolle ou atterrit), ce tube peut se trouver bloqué par du liquide. C'est ce qui provoque des bourdonnements et une sensation douloureuse. Tu peux empêcher cela en mâchant un bonbon, par exemple.

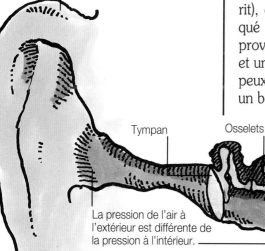

Pavillon

Tympan

Osselets

La pression de l'air à l'extérieur est différente de la pression à l'intérieur.

Limaçon

Trompe d'Eustache (pour le passage de l'air)

Pourquoi a-t-on mal aux dents?

On a mal aux dents quand une dent est cariée, c'est-à-dire quand un trou s'est formé dans la dent. Les dents sont faites d'une substance dure – la dentine ou ivoire – recouverte d'une fine couche d'émail, plus dure encore. Un nerf pénètre jusqu'au centre de la dent. Quand nous mangeons, de petits morceaux de nourriture et des microbes forment une plaque qui colle aux dents. La plaque transforme les sucres et les amidons des aliments en acide lactique qui dissout l'émail et attaque ensuite la dentine. La dent est alors cariée; le trou s'agrandit, exposant souvent le nerf et causant ainsi la douleur. Le dentiste enlève la partie cariée au moyen d'une fraise, puis bouche le trou avec un plombage. Pour éviter les caries, brosse-toi bien les dents et n'abuse pas des sucreries et féculents.

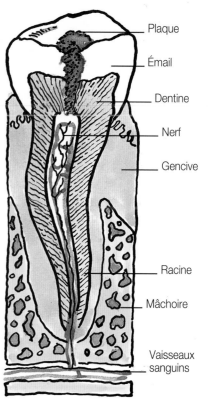

Plaque

Émail

Dentine

Nerf

Gencive

Racine

Mâchoire

Vaisseaux sanguins

23

Pourquoi les bébés n'ont-ils pas de dents à la naissance?

Les bébés ont déjà des dents à la naissance, mais on ne les voit pas, car elles sont encore dans les gencives. Elles ne perceront qu'à partir de six mois environ. Vers l'âge de trois ans, quand l'enfant a ses dents de lait, les dents définitives sont déjà formées dans les gencives.

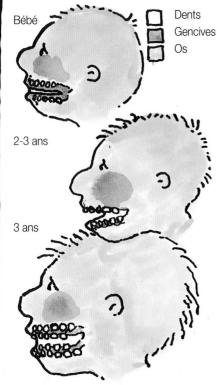

Bébé

Dents
Gencives
Os

2-3 ans

3 ans

Pourquoi certains deviennent-ils chauves?

En vieillissant, beaucoup d'hommes perdent leurs cheveux. C'est normal, mais cela arrive plus souvent dans certaines familles que dans d'autres. Les docteurs pensent que cela pourrait être dû aux hormones sexuelles mâles, ce qui expliquerait pourquoi les femmes ne perdent pas leurs cheveux de la même manière. Mais on peut commencer à perdre ses cheveux par exemple à la suite d'une maladie ou de la prise de certains médicaments.

Pourquoi les hommes ont-ils de la barbe?

C'est parce qu'ils ont des hormones sexuelles mâles que les hommes ont du poil sur le menton et les joues, ce qui leur permet de porter la barbe ou la moustache. La barbe commence à pousser durant la puberté. Les hommes se rasent ou entretiennent leur barbe ou leur moustache. Si un homme ne se rasait jamais, sa barbe pourrait atteindre 5 m de long!

Avant que ne commence la calvitie, le cheveu devient plus fin à la racine.

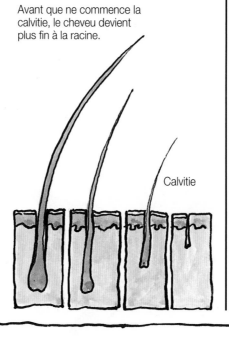

Calvitie

Pourquoi la peau des mains se ride-t-elle dans le bain?

Si tu restes longtemps dans ton bain, l'eau enlève la fine couche d'huile naturelle qui protège ta peau. Sans cette huile sécrétée par de minuscules glandes situées sous la peau, l'eau pénètre dans les pores et fait gonfler et plisser la peau. Quand tu sors du bain, ta peau sèche et retrouve son aspect habituel.

Pourquoi rêves-tu?

Même si tu ne t'en souviens pas toujours, tu rêves chaque nuit. Les psychiatres pensent que ce que tu vis en rêve a un rapport avec ce qui t'est arrivé réellement. Les rêves nous aident peut-être à trier nos souvenirs et nos expériences. Quand nous rêvons, nos yeux bougent rapidement sous les paupières closes, et l'activité du cerveau s'accélère. Personne ne sait exactement pourquoi nous rêvons, mais des expériences ont montré que les personnes qui n'ont pas la possibilité de rêver sont irritables et perturbées. Par la suite, si elles peuvent dormir sans être dérangées, elles font de très longs rêves.

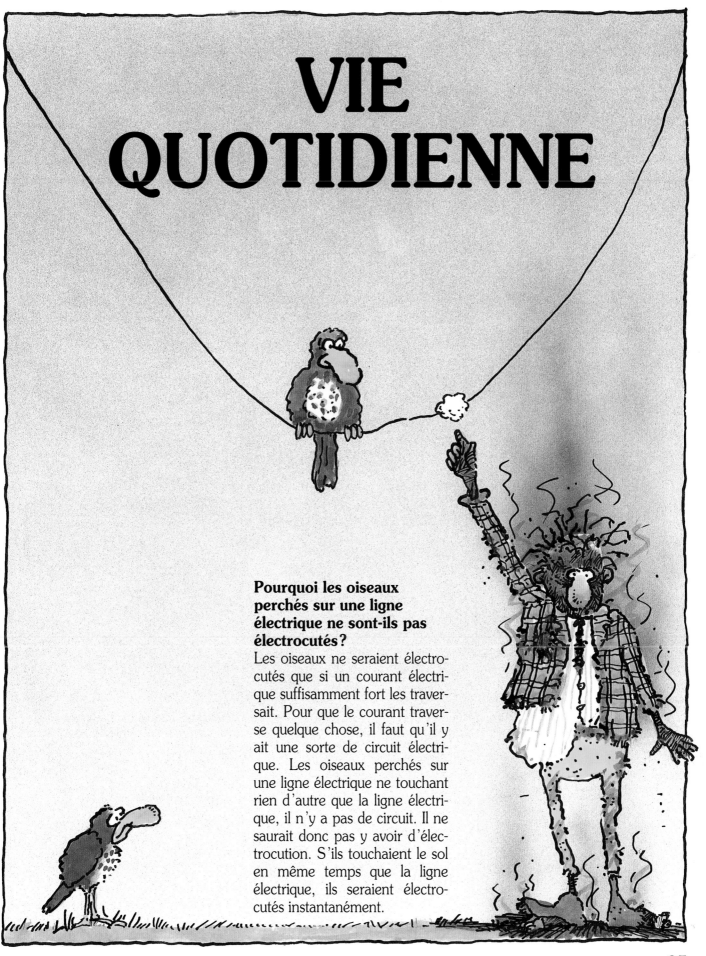

VIE QUOTIDIENNE

Pourquoi les oiseaux perchés sur une ligne électrique ne sont-ils pas électrocutés?

Les oiseaux ne seraient électrocutés que si un courant électrique suffisamment fort les traversait. Pour que le courant traverse quelque chose, il faut qu'il y ait une sorte de circuit électrique. Les oiseaux perchés sur une ligne électrique ne touchant rien d'autre que la ligne électrique, il n'y a pas de circuit. Il ne saurait donc pas y avoir d'électrocution. S'ils touchaient le sol en même temps que la ligne électrique, ils seraient électrocutés instantanément.

Comment obtient-on les bulles des boissons gazeuses?

Ces bulles sont formées de gaz carbonique qui ne se dissout dans l'eau qu'en petites quantités. Si le gaz est injecté sous pression, les quantités dissoutes sont beaucoup plus grandes. Quand tu enlèves le bouchon de la bouteille, il n'y a plus de pression; le gaz s'échappe et forme des bulles.

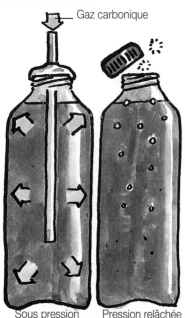

— Gaz carbonique

Sous pression   Pression relâchée

Pourquoi le papier des sachets de thé ne devient-il pas détrempé dans l'eau?

Le papier est fait de bois, de coton, d'herbe et d'autres fibres naturelles. Les sachets de thé sont faits d'un mélange de chanvre de Manille (une fibre naturelle très solide utilisée pour la fabrication de corde) et de fibres plastiques. Ce mélange résiste à l'humidité et à la chaleur.

Garniture dure

Enrobage de chocolat

La chaleur amollira la garniture centrale, mais pas le chocolat.

Couche extérieure en chocolat
Garniture onctueuse

Comment obtient-on la garniture onctueuse des chocolats fourrés?

Au départ, cette garniture centrale, faite de sucre et d'eau, est dure. Il est facile de la couvrir de chocolat. La garniture contient un enzyme (une substance qui provoque une réaction chimique). Les chocolats sont chauffés à une certaine température, qui déclenche l'action de l'enzyme mais ne fait pas fondre le chocolat. L'enzyme décompose le sucre de sorte qu'il soit plus soluble dans l'eau. Le sucre étant partiellement dissous, la garniture devient molle.

Comment fabrique-t-on le café soluble?

Le café soluble n'est pas fait à partir de grains de café, mais de café préparé. Il est facile de faire évaporer l'eau de ce café au moyen d'air chaud. Le meilleur café soluble est fabriqué en congelant du café préparé, en réduisant en granules la masse congelée, en plaçant ceux-ci sous vide et en chauffant doucement. En raison du vide, l'eau gelée s'évapore directement sous forme de vapeur d'eau. Grâce à la faible chaleur et à l'évaporation instantanée, le café en poudre garde plus d'arôme.

Le café est préparé avec du café en grains et de l'eau.

Le café ainsi préparé est congelé.

La masse congelée est réduite en granules.

Les granules sont chauffés doucement sous vide.

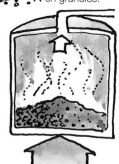

Le café soluble est mis en boîte ou en bocal.

Comment obtient-on une inscription dans un sucre d'orge?

Le sucre d'orge a d'abord la consistance d'une pâte molle. On en fait un long bloc. Il est alors facile d'y former les lettres de l'inscription au moyen de bandes colorées. Le morceau est ensuite étiré, puis coupé avant que le sucre durcisse.

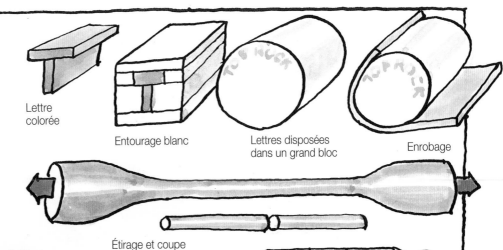

Lettre colorée

Entourage blanc

Lettres disposées dans un grand bloc

Enrobage

Étirage et coupe

Emballage

Dentifrice blanc

Comment taille-t-on un diamant?

Le diamant est la substance naturelle la plus dure au monde; il n'est donc pas aisé de le tailler. Il existe deux méthodes. Les gros diamants bruts peuvent être dégrossis en les frappant avec une lame métallique sur leurs lignes naturelles de faiblesse. On peut aussi les tailler à l'aide d'un autre diamant. La méthode la plus courante consiste à utiliser une scie circulaire bordée de poudre de diamant.

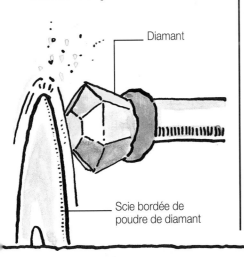

Diamant

Scie bordée de poudre de diamant

Dentifrice coloré

Trous

Comment met-on la mine dans un crayon?

La mine du crayon est un mélange de graphite (une forme de carbone) et d'argile. Cette pâte est pressée sous forme de fins bâtonnets, puis séchée. Pour envelopper la mine ainsi formée, on creuse des cannelures dans une fine planchette de bois. On place la mine dans le creux et on colle par-dessus une autre planchette rainurée. Le tout est coupé en morceaux de la longueur d'un crayon.

Comment obtient-on les bandes colorées dans le dentifrice?

Dans le tube d'un dentifrice ainsi ligné, la pâte colorée est stockée près de l'ouverture. Quand tu appuies sur le tube, la pression à l'intérieur de celui-ci est la même partout. Cela signifie que les pâtes blanche et colorée sortiront ensemble à la même vitesse chaque fois que le tube sera pressé.

Comment un avion tient-il en l'air?

Quand un avion se déplace dans l'air, propulsé par ses moteurs, l'air s'écoule sur les ailes. Il circule plus vite sur la surface courbe du dessus. La pression de l'air diminue donc au-dessus des ailes. Les ailes sont aspirées vers le haut: l'avion vole! Les gouvernes (ailerons, volets et gouvernails) des ailes et de la queue sont actionnées pour permettre à l'avion de décoller, de virer et d'atterrir.

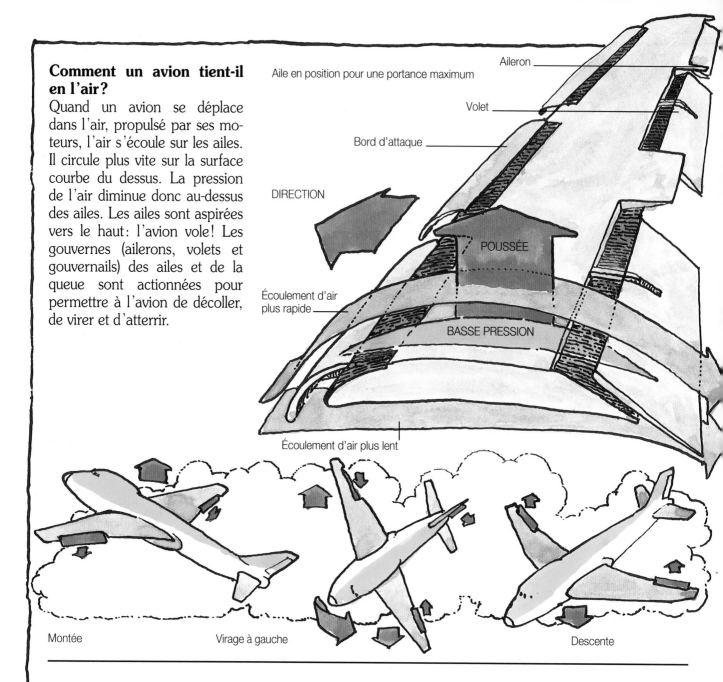

Aile en position pour une portance maximum

Aileron

Volet

Bord d'attaque

DIRECTION

POUSSÉE

Écoulement d'air plus rapide

BASSE PRESSION

Écoulement d'air plus lent

Montée

Virage à gauche

Descente

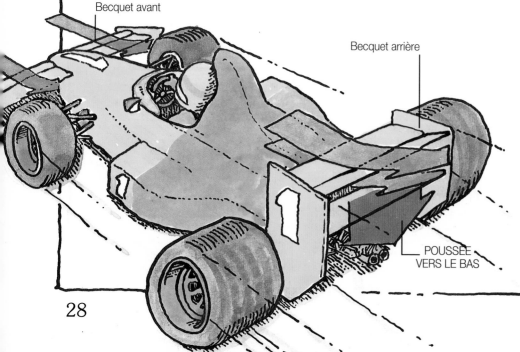

Becquet avant

Becquet arrière

POUSSÉE VERS LE BAS

Pourquoi les voitures de course ont-elles des ailerons?

Les ailerons des voitures de course sont généralement appelés becquets. Ils agissent à l'inverse des ailes d'un avion. Les ailes portent l'avion en l'air; les becquets maintiennent fermement la voiture au sol. La voiture ne décollera pas de la piste, même si de l'air est emprisonné en dessous lorsqu'elle roule très vite. Grâce aux becquets, les pneus agrippent également mieux le sol.

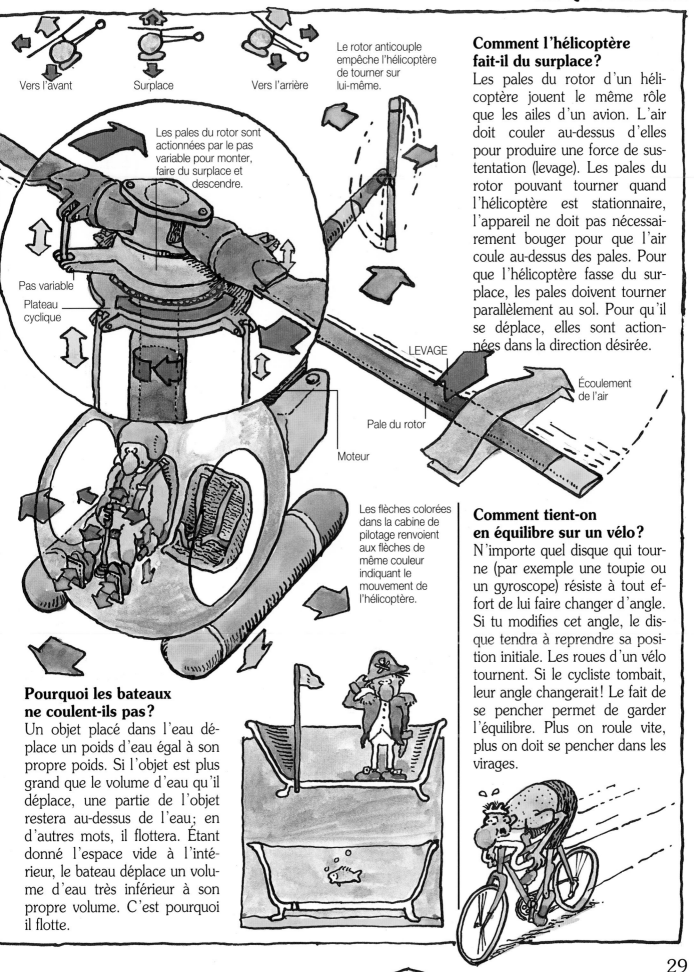

Vers l'avant

Surplace

Vers l'arrière

Le rotor anticouple empêche l'hélicoptère de tourner sur lui-même.

Les pales du rotor sont actionnées par le pas variable pour monter, faire du surplace et descendre.

Pas variable

Plateau cyclique

LEVAGE

Pale du rotor

Moteur

Écoulement de l'air

Les flèches colorées dans la cabine de pilotage renvoient aux flèches de même couleur indiquant le mouvement de l'hélicoptère.

Comment l'hélicoptère fait-il du surplace?

Les pales du rotor d'un hélicoptère jouent le même rôle que les ailes d'un avion. L'air doit couler au-dessus d'elles pour produire une force de sustentation (levage). Les pales du rotor pouvant tourner quand l'hélicoptère est stationnaire, l'appareil ne doit pas nécessairement bouger pour que l'air coule au-dessus des pales. Pour que l'hélicoptère fasse du surplace, les pales doivent tourner parallèlement au sol. Pour qu'il se déplace, elles sont actionnées dans la direction désirée.

Comment tient-on en équilibre sur un vélo?

N'importe quel disque qui tourne (par exemple une toupie ou un gyroscope) résiste à tout effort de lui faire changer d'angle. Si tu modifies cet angle, le disque tendra à reprendre sa position initiale. Les roues d'un vélo tournent. Si le cycliste tombait, leur angle changerait! Le fait de se pencher permet de garder l'équilibre. Plus on roule vite, plus on doit se pencher dans les virages.

Pourquoi les bateaux ne coulent-ils pas?

Un objet placé dans l'eau déplace un poids d'eau égal à son propre poids. Si l'objet est plus grand que le volume d'eau qu'il déplace, une partie de l'objet restera au-dessus de l'eau; en d'autres mots, il flottera. Étant donné l'espace vide à l'intérieur, le bateau déplace un volume d'eau très inférieur à son propre volume. C'est pourquoi il flotte.

Comment fonctionne une bouteille thermos?

La chaleur ne peut pas pénétrer à l'intérieur d'une bouteille isolante (thermos) ni en sortir, et cela grâce à deux parois en verre recouvert d'argent et séparées par un vide. La chaleur peut se propager de trois façons: par radiation (c'est le cas du rayonnement solaire), par conduction (comme la chaleur qui se propage dans un tisonnier posé dans le feu), par convection (principe du radiateur électrique). Dans le cas de la thermos, la chaleur n'irradie pas parce qu'elle est réfléchie par l'argenture. Il n'y a pas conduction parce que la paroi intérieure de la bouteille touche à peine la paroi extérieure. Et la chaleur ne peut être transportée par l'air puisqu'il y a vide.

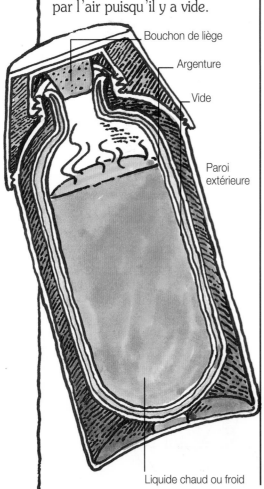

Bouchon de liège

Argenture

Vide

Paroi extérieure

Liquide chaud ou froid

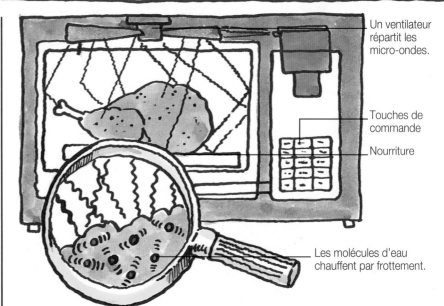

Un ventilateur répartit les micro-ondes.

Touches de commande

Nourriture

Les molécules d'eau chauffent par frottement.

Comment fonctionne un four à micro-ondes?

Comme tous les fours, le four à micro-ondes cuit les aliments en les chauffant. Mais il le fait autrement qu'un four conventionnel. Les micro-ondes (qui sont semblables à des ondes radar) font vibrer les molécules d'eau des aliments environ 2,5 milliards de fois par seconde. Ce mouvement vibratoire produit la chaleur qui cuit la nourriture. Des aliments desséchés, qui ne contiennent plus d'eau, ne cuiraient pas.

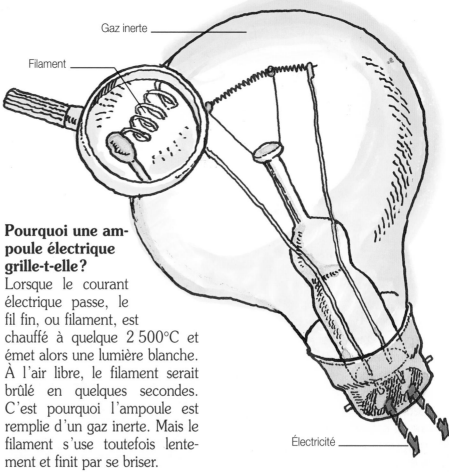

Gaz inerte

Filament

Pourquoi une ampoule électrique grille-t-elle?

Lorsque le courant électrique passe, le fil fin, ou filament, est chauffé à quelque 2 500°C et émet alors une lumière blanche. À l'air libre, le filament serait brûlé en quelques secondes. C'est pourquoi l'ampoule est remplie d'un gaz inerte. Mais le filament s'use toutefois lentement et finit par se briser.

Électricité

Pourquoi les manches en plastique des casseroles ne fondent-ils pas?

Il existe plusieurs types de plastique. Beaucoup, comme les thermoplastiques, fondent à basse température; mais d'autres, comme la bakélite, résistent à la chaleur. Cette résine synthétique diffère des thermoplastiques car elle est chauffée une seconde fois lors de sa fabrication. Des maillons se forment dans les polymères (chaînes moléculaires), qui donnent une structure permanente. Les manches des casseroles sont faits dans ce plastique thermodurcissable qui résiste à la chaleur.

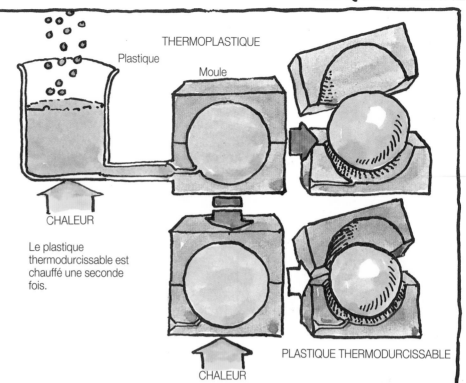

Plastique
THERMOPLASTIQUE
Moule

CHALEUR

Le plastique thermodurcissable est chauffé une seconde fois.

CHALEUR

PLASTIQUE THERMODURCISSABLE

Une allumette ne risque-t-elle pas de s'enflammer spontanément?

Une allumette ne prendra pas feu accidentellement dans sa boîte. Elle ne s'enflammera que si l'on frotte sa tête contre le côté rugueux de la boîte. La chaleur dégagée par la friction déclenche une réaction chimique: alors seulement, l'allumette prend feu.

Comment fonctionne un aspirateur?

Il existe deux types d'aspirateur. Dans un aspirateur-balai, le ventilateur aspire l'air et la poussière et les envoie dans le sac. Dans un aspirateur-traîneau, l'air contenu dans le sac est chassé à l'extérieur, de sorte que la poussière et l'air extérieur sont aspirés par le vide, dans le sac.

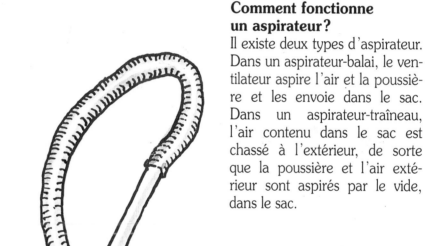
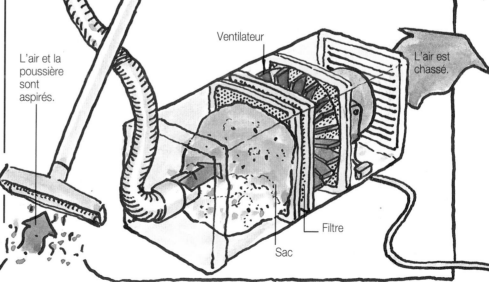

L'air et la poussière sont aspirés.

Ventilateur

L'air est chassé.

Filtre

Sac

Pourquoi le carrelage paraît-il froid?

Le carrelage absorbe vite la chaleur. Si tu te tiens pieds nus sur du carrelage, tu perds beaucoup de chaleur. Par contre, une carpette n'absorbe la chaleur que très lentement. C'est pourquoi le carrelage paraît plus froid que le tapis bien qu'ils aient la même température.

Pourquoi un tricot de laine tient-il chaud?

L'air est un mauvais conducteur de la chaleur. Mais l'air chaud se déplace rapidement et déplace alors la chaleur avec lui. Un tricot de laine emprisonne l'air entre ses mailles. L'air ainsi emprisonné forme une couche isolante et te tient au chaud.

Couche d'air isolante

AIR FROID

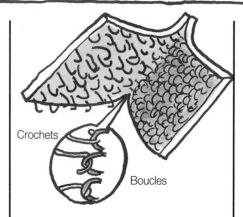

Crochets

Boucles

Quel est le principe du velcro?

L'un des rubans du velcro est couvert de centaines de bouclettes. L'autre a des centaines de minuscules crochets. Ainsi, les deux rubans du velcro s'agrippent quand on les presse.

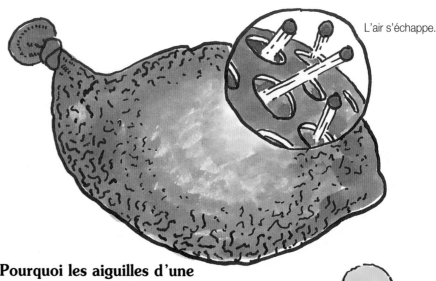

Pourquoi les aiguilles d'une montre tournent-elles dans ce sens?

Sur un cadran solaire, l'ombre se déplace dans le même sens que les aiguilles d'une montre (dans l'hémisphère Nord). Avant que l'on fabrique des horloges ou des montres, tourner dans l'autre sens était considéré comme portant malheur. Pour ces deux raisons, on s'est efforcé de faire tourner les aiguilles des montres dans le «bon» sens. Maintenant, il nous serait difficile de lire l'heure si les aiguilles tournaient dans l'autre sens.

Pourquoi les ballons se plissent-ils?

Les ballons sont faits de caoutchouc. Sa structure est faite de molécules enchevêtrées. Quand on souffle dans un ballon pour le gonfler, le caoutchouc s'étire, et les molécules se redressent et s'ordonnent. Le caoutchouc devient légèrement poreux, ce qui permet à l'air de s'échapper très lentement par des trous minuscules. Au fur et à mesure que le ballon se dégonfle, la plupart des molécules reprennent leur position initiale, mais pas toutes, et c'est pour cela que le ballon se plisse.

L'air s'échappe.

SOLEIL

Ombre

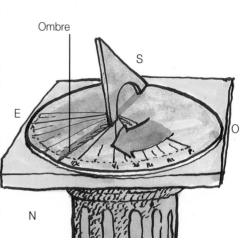

S

E

O

N

Ondes sonores déployées

Ondes sonores serrées

Pourquoi le bruit de la sirène change-t-il quand la voiture de police passe?

La variation de hauteur du son perçu lorsque la source sonore se déplace par rapport à l'observateur est connue sous le nom d'effet Doppler-Fizeau. La hauteur du son dépend de la distance des ondes sonores. Quand la sirène s'approche de toi, les ondes sont serrées. Quand elle s'éloigne de toi, les ondes sont déployées. C'est ce qui explique ce phénomène.

Comment agrandit-on une grue?

Les dix premiers mètres environ sont dressés par une grue mobile. Ensuite, une nouvelle section est hissée. Des vérins hydrauliques situés au sommet de la section la plus élevée soulèvent la cabine. La nouvelle section est mise en place et boulonnée solidement.

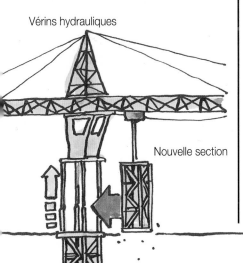

Vérins hydrauliques

Nouvelle section

Pourquoi les catadioptres luisent-ils dans l'obscurité?

Les catadioptres sont faits de tubes en verre placés dans un plot (pièce métallique faisant contact). L'arrière des tubes est réfléchissant, de sorte que la lumière des phares qui les frappe est renvoyée. Les plots sont placés dans un coussinet de caoutchouc dans lequel ils s'enfoncent quand une voiture roule sur eux, de sorte qu'ils ne sont pas endommagés.

TEMPS FROID

TEMPS CHAUD

Pourquoi y a-t-il des «trous» dans des voies ferrées?

Le métal se dilate quand il est chauffé. Par temps chaud, les rails peuvent s'allonger de plusieurs centimètres. S'il n'y avait pas ces écartements, les rails se courberaient... et les trains risqueraient de dérailler.

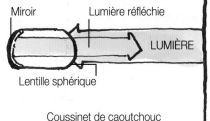

Miroir

Lumière réfléchie

LUMIÈRE

Lentille sphérique

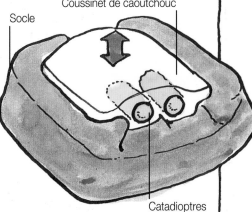

Coussinet de caoutchouc

Socle

Catadioptres

Pourquoi épand-on du sel sur les routes en hiver?

L'eau salée gèle à une température plus basse que l'eau non salée. Le sel épandu sur les routes empêche donc la formation de dangereuses plaques de verglas par temps très froid.

Pourquoi les bulles sont-elles rondes?

Les bulles sont faites d'une fine pellicule de liquide (souvent un mélange d'eau et de détergent) emplie d'air. L'air qui est dans la bulle pousse légèrement l'enveloppe vers l'extérieur. De son côté, l'attraction entre les molécules d'eau tire la pellicule vers l'intérieur. La bulle est parfaitement ronde quand ces deux forces s'équilibrent.

Pourquoi un tourbillon se forme-t-il quand on tire le bouchon de la baignoire?

Ce tourbillon est dû au fait que la Terre tourne. Cela crée dans l'eau des forces qui l'empêchent de s'écouler directement. Dans l'hémisphère Nord, l'eau tournera dans le sens des aiguilles d'une montre; dans l'hémisphère Sud, elle tournera en sens contraire.

Pourquoi as-tu l'impression que les portraits te suivent des yeux?

Bien entendu, les portraits ne te suivent pas vraiment des yeux. Ce ne sont que des peintures! La surface de l'œil peint est plate alors qu'un véritable globe oculaire est courbe. Un œil véritable paraîtra différent en fonction de la direction du regard. L'œil peint reste toujours le même. C'est pourquoi, s'il regarde vers l'extérieur, tu as l'impression qu'il te regarde.

Pourquoi l'oignon cru fait-il pleurer?

La forte odeur de l'oignon vient d'une huile qu'il contient. Cette huile s'évapore très facilement quand l'oignon est pelé et coupé. Les nerfs de ton nez, qui sont reliés aux yeux, sont sensibles à cette vapeur et tes yeux se remplissent de larmes.

Que veut dire le SOS de l'appel au secours?

Avant l'invention de la radio, les messages étaient envoyés en morse par fil télégraphique. Chaque lettre était codée; des abréviations étaient souvent utilisées pour diminuer la longueur du message. Nous en utilisons encore quelques-unes à l'heure actuelle, notamment ce SOS qui signifie Save Our Souls (expression anglaise qui veut dire: Sauvez nos âmes) ou Save Our Ship (Sauvez notre navire).

Que veut dire MAYDAY?

MAYDAY est un autre appel de détresse envoyé par radio. C'est une déformation de «Voulez-vous m'aider?».

SPORTS
ET
LOISIRS

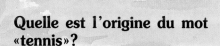

Quelle est l'origine du mot «tennis»?
Quand on a commencé à jouer au tennis en France, le serveur envoyait la balle à son adversaire en criant «Tenez». C'est ce mot, légèrement déformé, qui est resté.

35

Quand le football (soccer) a-t-il été inventé?

Le football dérive de divers jeux dans lesquels deux équipes essayaient d'envoyer un ballon (ou un autre objet) dans le but du camp adverse. Le plus ancien jeu connu ressemblant au football était le tsu-chu, qui se pratiquait en Chine 400 ans avant notre ère. Les anciens Romains jouaient aussi à un jeu similaire. En Angleterre, dès l'époque romaine, on joua à un jeu qui ressemblait un peu au football, mais le ballon se portait davantage en main. C'est la soule qui est le véritable ancêtre du football (soccer) moderne. Ce jeu violent se pratiquait en Europe. Il fut interdit au 14e siècle. Le football moderne oppose deux équipes de onze joueurs qui, du pied ou de la tête, essaient de lancer le ballon dans le but adverse. Le gardien de but est le seul à pouvoir toucher le ballon avec les mains. Le règlement du jeu a été fixé en Angleterre en 1848.

Pourquoi les arbitres de football (soccer) sont-ils en noir?

Il est important qu'aucun joueur ne confonde l'arbitre avec un autre joueur. La plupart des joueurs portent des tenues de couleur vive qui permettent de distinguer les deux équipes. En portant du noir, l'arbitre ne sera pas pris pour un joueur.

Comment fait-on la dernière couture du ballon?

Les ballons de football (soccer) sont cousus main. Les morceaux sont assemblés sur l'envers. Quand il ne reste que 15 cm environ à coudre, le ballon est retourné sur l'endroit. La vessie est alors introduite et 10 cm supplémentaires sont cousus. Les cinq derniers centimètres sont cousus à grands points lâches en écartant les bords. On tire ensuite fermement sur le fil pour resserrer les bords.

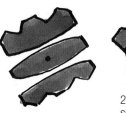

1. Les morceaux sont assemblés.

2. Les sections sont formées.

3. Ballon en cours d'assemblage, sur l'envers

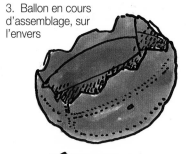

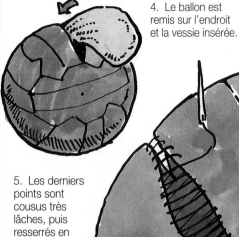

4. Le ballon est remis sur l'endroit et la vessie insérée.

5. Les derniers points sont cousus très lâches, puis resserrés en tirant sur le fil.

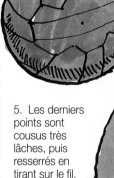

Quelle est l'origine du mot «essai» au rugby?

Dans les premières versions du jeu, on marquait un but en envoyant le ballon au-dessus de la barre transversale entre les poteaux du but. Pour cela, un joueur devait traverser la ligne adverse avec le ballon et lui faire toucher le sol. Quand il réussissait, les spectateurs criaient: «Un essai, un essai!». Le joueur pouvait essayer d'envoyer le ballon dans le but. Le mot «essai» désigne un «touché» avec points.

Pourquoi le ballon de rugby est-il ovale?

Dans le plupart des jeux de balle, la balle est frappée par une batte, une raquette ou par le pied. Au rugby et au football américain, la principale façon de déplacer le ballon est de le porter en main, et un ballon ovale est plus facile à transporter qu'un ballon rond. Il est également plus difficile de faire rouler un ballon ovale sur le sol ou de bien le lancer.

D'où vient le terme «touché» en football américain?

Une équipe marque des points quand elle amène le ballon sur la ligne de but de l'équipe adverse. Le football américain dérive du rugby, où le ballon doit toucher le sol pour qu'une équipe marque. Au football américain, le ballon ne doit pas toucher le sol. Il suffit qu'il pénètre dans la zone de but adverse.

Pourquoi le terrain de football américain est-il ligné?

Ce terrain ressemble à un immense gril. Des lignes divisent le terrain en bandes de 9,15 m de large. L'équipe qui porte la balle a quatre essais pour avancer de cette distance. Si elle n'y parvient pas, le ballon passe à l'autre équipe.

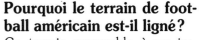

À quelle vitesse et à quelle distance peut-on lancer une balle?

Rares sont les sportifs qui ont réussi à lancer une balle (de cricket ou de base-ball) à plus de 160 km/h. Mais plus nombreux sont les sportifs entraînés qui lancent la balle à 130 km/h. Le record de longueur du lancer est de 130 m.

Pourquoi la balle de golf a-t-elle des alvéoles?

Les alvéoles de la balle de golf lui permettent d'aller trois fois plus loin qu'une balle lisse. Quand celle-ci est envoyée en l'air, une couche d'air colle à sa surface. Cette couche se désagrège et crée des turbulences autour de la balle. Celles-ci absorbent l'énergie de la balle et ralentissent sa vitesse. Grâce aux alvéoles, la couche d'air reste plus longtemps collée à la balle de golf. Il y a donc moins de résistance à l'avancement. Ces cavités donnent aussi à la balle plus de poussée ascensionnelle. Quand la balle est frappée, elle tourne vers l'arrière. Les alvéoles transportent de l'air vers le dessus de la balle. Cet air circule plus vite que l'air du dessous et la pression est moindre. La balle est donc poussée vers le haut. Le même principe est utilisé pour les avions.

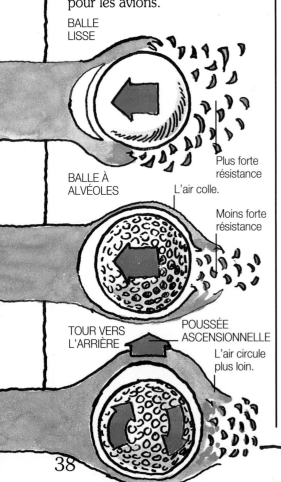

BALLE LISSE

BALLE À ALVÉOLES

Plus forte résistance

L'air colle.

Moins forte résistance

TOUR VERS L'ARRIÈRE

POUSSÉE ASCENSIONNELLE

L'air circule plus loin.

Du verre de couleur en poudre est injecté dans le verre liquide.

Des ciseaux spéciaux découpent la coulée qui refroidit en morceaux de la taille d'une bille.

Rouleaux cannelés

Billes

Comment insère-t-on des éclats colorés dans les billes?

Le verre fondu qui sert à fabriquer les billes est versé en une coulée de la largeur de la bille. Du verre coloré en poudre est injecté dans cette coulée. En tombant, la coulée refroidit et le verre devient pâteux. Des ciseaux spéciaux coupent la pâte de verre en morceaux de la grandeur d'une bille. Ces morceaux tombent sur deux longs rouleaux cannelés. Entraînés par les cannelures des rouleaux qui tournent, les bouts de verre sont façonnés en boules. C'est aussi ce mouvement tournant qui tord les stries colorées à l'intérieur de la bille.

Comment fonctionnent les patins à glace?

En fait, les patins à glace glissent sur l'eau et non sur la glace. Quand la lame du patin appuie sur la glace, une fine couche de glace fond. Le patin glisse sur cette fine couche d'eau. Si la glace est trop froide, la pression du patin ne suffit pas à la faire fondre, et le patin ne glisse pas.

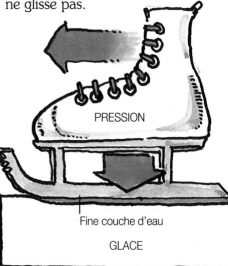

PRESSION

Fine couche d'eau

GLACE

Pourquoi le cheval sauvage saute-t-il et rue-t-il?

Un cheval sauvage n'est pas habitué à porter un cavalier. Dès que quelqu'un tente de le monter, le cheval essaie de le désarçonner (de le jeter par terre) en sautant et en ruant.

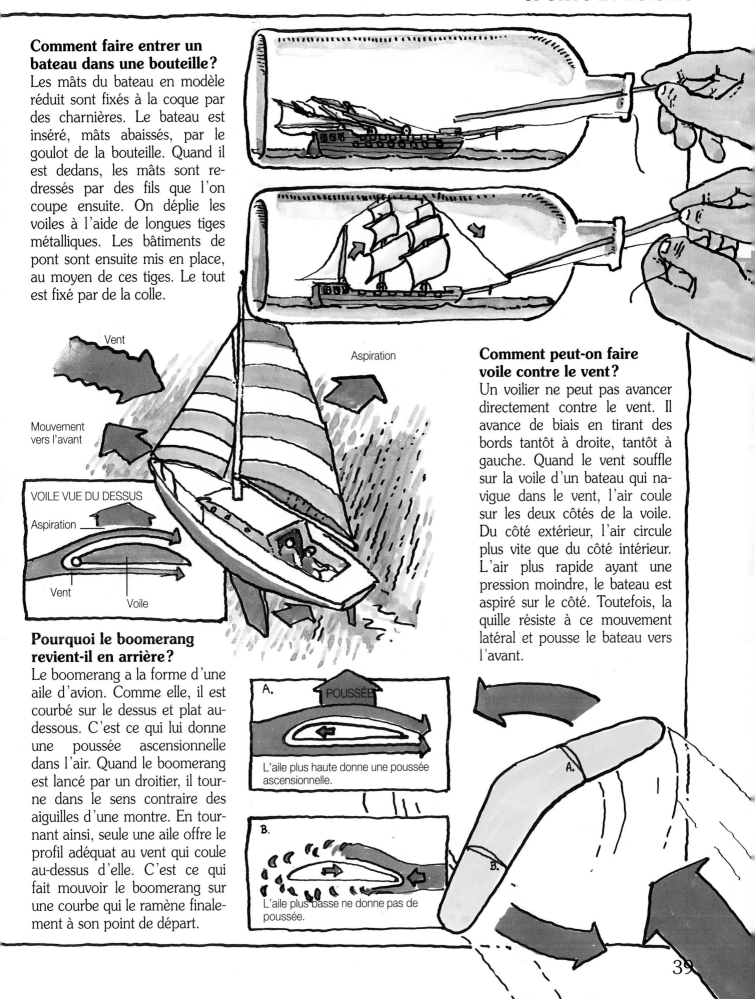

Comment faire entrer un bateau dans une bouteille?

Les mâts du bateau en modèle réduit sont fixés à la coque par des charnières. Le bateau est inséré, mâts abaissés, par le goulot de la bouteille. Quand il est dedans, les mâts sont redressés par des fils que l'on coupe ensuite. On déplie les voiles à l'aide de longues tiges métalliques. Les bâtiments de pont sont ensuite mis en place, au moyen de ces tiges. Le tout est fixé par de la colle.

Vent

Mouvement vers l'avant

Aspiration

VOILE VUE DU DESSUS

Aspiration

Vent

Voile

Comment peut-on faire voile contre le vent?

Un voilier ne peut pas avancer directement contre le vent. Il avance de biais en tirant des bords tantôt à droite, tantôt à gauche. Quand le vent souffle sur la voile d'un bateau qui navigue dans le vent, l'air coule sur les deux côtés de la voile. Du côté extérieur, l'air circule plus vite que du côté intérieur. L'air plus rapide ayant une pression moindre, le bateau est aspiré sur le côté. Toutefois, la quille résiste à ce mouvement latéral et pousse le bateau vers l'avant.

Pourquoi le boomerang revient-il en arrière?

Le boomerang a la forme d'une aile d'avion. Comme elle, il est courbé sur le dessus et plat au-dessous. C'est ce qui lui donne une poussée ascensionnelle dans l'air. Quand le boomerang est lancé par un droitier, il tourne dans le sens contraire des aiguilles d'une montre. En tournant ainsi, seule une aile offre le profil adéquat au vent qui coule au-dessus d'elle. C'est ce qui fait mouvoir le boomerang sur une courbe qui le ramène finalement à son point de départ.

A.

POUSSÉE

L'aile plus haute donne une poussée ascensionnelle.

B.

L'aile plus basse ne donne pas de poussée.

A.

B.

39

Les catcheurs se font-ils vraiment mal?

La lutte amateur est un sport de force et d'adresse. Le catch est plus un spectacle qu'un véritable sport. Il est plus important pour un catcheur d'amuser le public, de le faire participer, que de lutter avec art. Mais cela n'empêche pas certains catcheurs d'être d'excellents lutteurs. Il leur arrive parfois de se faire vraiment mal lors d'un combat, bien que la plupart des cris et des grognements fassent simplement partie du spectacle.

Pourquoi le matador agite-t-il un tissu rouge?

La *muleta* est un morceau d'étoffe rouge tendu sur un bâton. Le matador l'agite pour fatiguer le taureau et pour essayer de le guider vers l'endroit où il veut qu'il charge. Le taureau est daltonien. Ce n'est donc pas à la couleur qu'il réagit, mais au mouvement. La couleur rouge de la *muleta* est une simple tradition. Les matadors se servent aussi de *capotes*, qui sont roses.

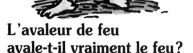

L'avaleur de feu avale-t-il vraiment le feu?

L'avaleur de feu n'avale pas vraiment le feu, mais il met vraiment une torche enflammée en bouche. L'extrémité de la torche est petite, et la flamme s'éteint très vite par manque d'oxygène. L'avaleur de feu penche la tête vers l'arrière, de sorte que la flamme et la chaleur sortent de sa bouche. Le tour reste cependant dangereux, car l'extrémité de la torche est brûlante. L'avaleur de feu peut aussi tenir un peu d'essence en bouche (sans l'avaler, car c'est un poison) pour la lancer à l'extérieur avec un jeu de flamme. C'est très dangereux.

Pourquoi l'œil du bœuf a-t-il tant de succès?

Chez nous, un «œil-de-bœuf» est une petite fenêtre ronde. Au Brésil, c'était le nom des premiers timbres postaux. Dans les pays anglophones, cela désigne le centre de la cible du jeu de fléchettes!

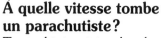

À quelle vitesse tombe un parachutiste?

Tout objet qui tombe dans l'air va de plus en plus vite jusqu'à ce que la résistance de l'air soit égale à la pesanteur. Pour une personne, cet équilibre des forces arrive vers 190 km/h. Quand le parachute s'ouvre, la résistance de l'air est fortement accrue; la vitesse diminue pour n'être plus que de 20 km/h.

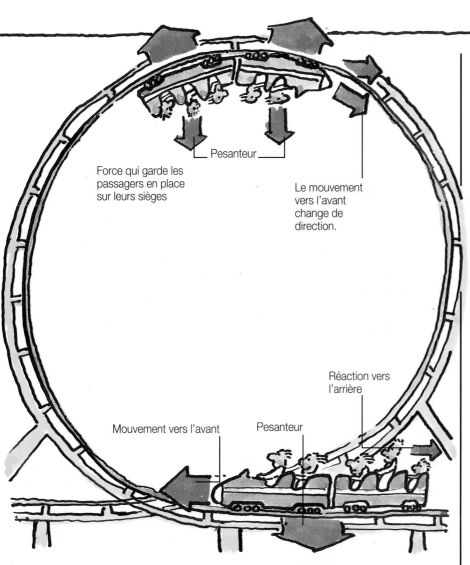

Force qui garde les passagers en place sur leurs sièges

Pesanteur

Le mouvement vers l'avant change de direction.

Réaction vers l'arrière

Mouvement vers l'avant

Pesanteur

Quel fut le premier roman?

Il est impossible de le dire exactement. Du temps des anciens Grecs déjà, de courtes œuvres littéraires racontaient des histoires inventées. Toutefois, aucune ne peut être considérée comme un roman. Pendant très longtemps, la plupart des écrits en prose racontèrent de courtes histoires, parfois groupées. Les premiers écrits qui s'apparentent à un véritable roman datent des 16e et 17e siècles et viennent d'Espagne: *Amadis de Gaule*, de Garcia Rodriguez de Montevalo (1508) ou *Don Quichotte*, de Miguel de Cervantes (début du 17e siècle). Parmi les premiers livres qui cessent de regrouper simplement des histoires pour avoir une intrigue directrice, citons encore *La Princesse de Clèves*, de Mme de La Fayette (1678).

Pourquoi ne tombe-t-on pas d'une telle attraction foraine?

Quand tu es la tête en bas, tout en haut de la grande boucle des montagnes russes, tu es en fait mieux maintenu sur ton siège qu'en position normale. Ton wagonnet – et toi avec – va très vite. Tout objet en mouvement parcourra une ligne droite tant que rien ne tend à le faire dévier de sa trajectoire. Quand le rail change de direction, ton corps veut continuer tout droit. Cette «force» qui te garde pressé sur ton siège tandis que ton wagonnet suit la boucle est plus grande que la pesanteur. C'est pourquoi tu ne tombes pas.

Combien de coups sont possibles aux échecs?

À l'ouverture de la partie, chaque joueur a 20 possibilités. Quand tous deux ont déplacé leur premier pion, il y a 400 positions possibles. Au deuxième tour, il y a plus de 50 coups possibles pour chaque joueur. Cela signifie qu'après le deuxiè-me tour, il y a plus d'un million de positions possibles. Toutefois, dans une position précise, chaque joueur doit rarement choisir entre plus de quelques centaines de coups. Généralement, ce sont les Blancs qui ouvrent le jeu.

Quelle était la taille de King Kong?

Le gorille géant qui a crevé l'écran en 1933 ne mesurait que 45 cm de hauteur! Dans la plupart des scènes avec le monstre, le mannequin était animé plan par plan. La bande du mannequin animé, de même qu'un arrière-plan, était alors projetée par l'arrière sur un écran translucide (une technique appelée rétroprojection). Les acteurs jouaient devant l'écran.

Le mannequin est animé plan par plan.

Les acteurs en chair et en os sont filmés devant l'écran où défile la rétroprojection.

Quel âge a Mickey?

Le premier dessin animé ayant Mickey Mouse comme héros date de 1928. Ce fut le premier grand succès de Walt Disney, qui lui prêtait à l'époque sa voix. Mickey a donc plus de soixante ans, mais la sympathique petite souris rencontre toujours autant de succès.

Pourquoi les Oscars portent-ils ce nom?

Officiellement, les Oscars s'appellent Academy Awards (récompenses de l'Académie). Ces récompenses furent attribuées pour la première fois en 1929. Une statuette était remise à chacun des lauréats du monde du cinéma. En la voyant, un officiel déclara qu'elle ressemblait à son oncle Oscar. Le nom est resté à la statuette.

Pourquoi les acteurs bougent-ils si vite dans les vieux films?

En réalité, les acteurs filmés autrefois ne bougeaient pas plus vite que toi et moi. C'est la caméra qui filmait plus lentement. Les caméras modernes prennent 24 images/seconde, que les projecteurs actuels nous montrent à la même vitesse. Les anciennes caméras ne prenaient que 16 à 18 images/seconde. Si un vieux film est projeté par un projecteur moderne, il passe trop vite; c'est pourquoi le mouvement est accéléré. Il est toutefois possible de ralentir certains projecteurs. La télévision passe 25 images/seconde. Jusqu'à présent, il est impossible de ralentir la vitesse de projection de nos téléviseurs. Toutefois, des techniques récentes permettront de résoudre ce problème.

Une seconde d'un dessin animé compte 25 dessins différents.

Comment Superman vole-t-il?

Dans les films de Superman, le héros «vole» soutenu par un bras métallique caché derrière lui. Pour faire croire qu'il vole très haut, on recourt à une technique appelée projection frontale. L'arrière-plan est réfléchi par un miroir à double reflet placé devant l'acteur. L'image est projetée sur un écran placé derrière lui. La caméra filme à travers le miroir. L'image de l'arrière-plan est très pâle; c'est pourquoi on ne la voit pas sur l'acteur. Mais l'écran est fait de perles de verre qui intensifient l'image et avivent l'arrière-plan. Tu ne vois pas l'ombre de l'acteur sur l'écran parce que ce dernier est entre la caméra et son ombre.

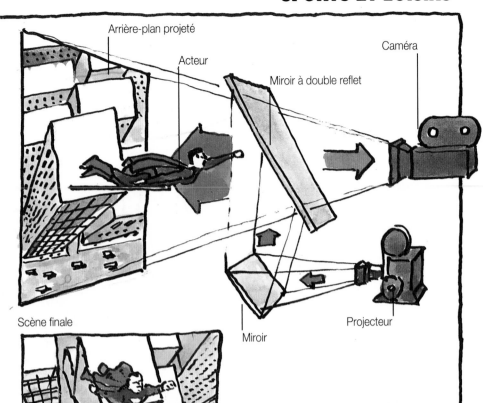

Arrière-plan projeté

Acteur

Caméra

Miroir à double reflet

Scène finale

Miroir

Projecteur

Chaque attitude du personnage est photographiée séparément sur le décor.

Le décor reste le même durant tout le mouvement.

Feuille de papier transparent sur laquelle est dessiné le personnage

Combien de dessins faut-il pour faire un dessin animé?

Dans un dessin animé d'une heure et demie, il y a plus de 100 000 séquences. Il y a donc au moins 100 000 dessins. En réalité, chaque séquence est souvent faite de plusieurs dessins placés l'un sur l'autre. Un long métrage peut donc nécessiter un million de dessins. Des dessins animés bon marché réalisés pour la télévision en comptent souvent beaucoup moins: parfois quelques milliers seulement pour un programme d'une demi-heure.

Quand eurent lieu les premiers jeux olympiques?

Les premiers jeux olympiques eurent lieu en 776 av. J.-C. dans le stade d'Olympie, en Grèce. Ils consistèrent en une seule épreuve: une course de 180 m; par la suite, d'autres épreuves vinrent s'y ajouter. Les dernières olympiades antiques eurent lieu en l'an 394 de notre ère. Le baron Pierre de Coubertin relança l'idée de jeux olympiques après que les ruines du stade d'Olympie eurent été découvertes en 1875. Les premiers jeux modernes se déroulèrent en 1896 à Athènes.

Athlète des olympiades antiques

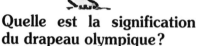

Athlète des premiers jeux olympiques modernes

Quelle est la signification du drapeau olympique?

Les jeux olympiques modernes ont principalement pour but de susciter l'amitié et de favoriser la paix dans le monde par la pratique du sport. Les cinq anneaux représentent les cinq continents: Afrique, Amérique, Asie, Europe et Océanie. Ils sont entrelacés pour symboliser l'union entre les nations. Et tous les pays qui participent aux jeux ont au moins une des couleurs adoptées dans leur drapeau national.

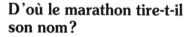

Coureur de marathon actuel

D'où le marathon tire-t-il son nom?

Cette course de grand fond d'environ 42 km tire son nom d'un village de la Grèce antique. En 490 av. J.-C., les Athéniens affrontèrent les Perses dans la plaine devant Marathon. Avant la bataille, le plus rapide coureur grec, Philippidès, fut envoyé chercher de l'aide à Sparte, distante de 250 km. Il revint à Marathon et participa au combat. Selon la légende, dépêché à Athènes, située à 40 km de là, pour annoncer la victoire, il mourut d'épuisement à son arrivée.

HISTOIRE

Pourquoi se donne-t-on une poignée de main?
Se donner la main pour se saluer est une tradition qui date de centaines, voire de milliers d'années. À l'origine, la poignée de main avait sans doute pour but de montrer qu'on ne cachait pas d'arme dans la main. C'était donc, en quelque sorte, une marque de confiance.

Qu'est-ce que la préhistoire?

On appelle préhistoire l'époque qui précède l'apparition de l'écriture, il y a environ 5 500 ans. La préhistoire n'est donc pas la période qui précède l'histoire, mais celle qui précède l'histoire écrite.

CHUTE DE ROME
(400-500)

MOYEN ÂGE

RENAISSANCE ITALIENNE
(15e siècle)

Qu'entend-on par âges de la pierre, du bronze, du fer?

Les archéologues classifient ainsi des périodes très anciennes de l'histoire de l'humanité. Ils se réfèrent au matériau utilisé pour fabriquer des outils, qui reflète le développement de la civilisation de l'époque. L'âge de la pierre a commencé il y a 2 millions d'années et a duré jusqu'à l'âge du bronze, vers 3000 av. J.-C. L'âge du fer a commencé entre 1500 et 1000 ans av. J.-C.

Par rapport à quoi le Moyen Âge est-il moyen?

Le Moyen Âge se situe en Europe entre l'Antiquité et les Temps modernes. Les historiens le limitent généralement par la chute de l'Empire romain d'Occident (476) et la prise de Constantinople (1453). La Renaissance italienne, qui connut un prodigieux développement des arts et des sciences, est considérée comme le début des Temps modernes.

Pourquoi a-t-on appelé ainsi l'âge des ténèbres?

La période de l'histoire de l'Europe connue sous le nom d'âge des ténèbres a duré de 500 à 1000 environ (la première moitié du Moyen Âge). Par ténèbres, on veut parler du manque de connaissances durant toute cette époque. Beaucoup d'arts et de techniques des civilisations passées étaient perdus, ainsi que divers acquis dans d'autres domaines. Toutefois, les historiens ont fini par se rendre compte que l'âge des ténèbres ne fut pas, en fait, aussi sombre qu'on le pensait généralement.

Pointe de flèche de l'âge de la pierre

Pointe de lance de l'âge du bronze

Dague de l'âge du fer

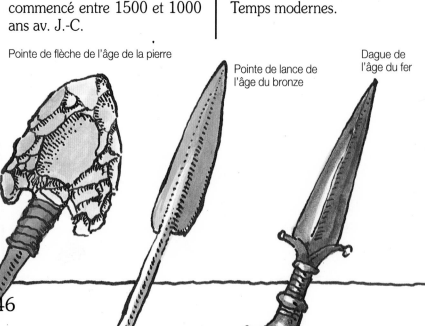

D'où viennent les premiers hommes?

Il est difficile de dire qui furent les premiers hommes. Il existait plusieurs espèces d'hominiens (proches de l'homme). Les scientifiques considèrent *Homo habilis* (l'homme habile) comme le premier être humain. Il vivait en Afrique il y a quelque deux millions d'années et se servait d'outils de pierre. Des fossiles ont été découverts en Afrique orientale.

AFRIQUE

Kenya

L'homme des cavernes vivait-il dans des cavernes?

Quelques-uns y vivaient, mais la plupart de nos ancêtres de l'âge de la pierre vivaient dans des abris faits de branches, de peaux de bêtes et d'autres matériaux naturels, car il n'y avait pas assez de grottes pour tous! Les cavernes étant résistantes, nous pouvons encore les voir de nos jours.

Quand a-t-on utilisé pour la première fois de l'argent?

Les premiers hommes pratiquaient le troc, l'échange. Au fil du temps, certains objets (des coquillages, des métaux) servirent de monnaie d'échange acceptée par tous. Pour la facilité, on fabriqua ensuite des pièces de métal précieux, d'un poids connu et donc d'une valeur connue. La plus ancienne pièce à ce jour date de 600 à 700 ans av. J.-C. et fut trouvée à l'ouest de la Turquie.

D'où viennent les signes symbolisant le dollar et la livre sterling?

Le symbole du dollar est un 8 stylisé qui vient d'une ancienne pièce espagnole valant huit réaux. Le symbole de la livre est un L stylisé. Il a pour origine une pièce des anciens Romains, le *librum*. Ce symbole est parfois utilisé aussi pour représenter la lire italienne.

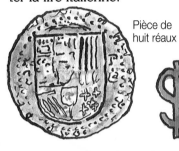

Pièce de huit réaux

Librum romain

Comment les citoyens payaient-ils leurs taxes avant que l'argent existe?

Ils payaient en marchandises. Ainsi, un fermier laissait une partie de la moisson au propriétaire foncier local. La dîme était à verser au clergé ou aux seigneurs. Elle s'élevait au dixième de ce qu'une personne avait produit ou gagné en un an.

Qui inventa la roue?

La roue a probablement été inventée il y a 5 à 6000 ans en Mésopotamie (partie de l'Irak actuel). Ce sont sans doute les rondins de bois servant à déplacer les objets très lourds, comme les énormes blocs de pierre utilisés en construction, qui en ont donné l'idée. Les premières roues furent vraisemblablement des tranches de troncs d'arbres ou de solides disques de bois faits de planches assemblées.

Pourquoi les aborigènes australiens ont-ils inventé le boomerang?

Les aborigènes australiens utilisent le boomerang comme arme de chasse. Il y a deux types de boomerang: celui qui revient en arrière et celui qui ne le fait pas. Les aborigènes se servent principalement du second. L'avantage d'un boomerang, c'est que, tournant sur lui-même, il frappe la cible avec plus de force qu'une pierre lancée. Le boomerang qui revient en arrière convient moins pour la chasse: étant donné la courbe qu'il décrit, il est plus difficile de bien viser. Par contre, on ne le perd pas facilement.

Qui furent les premiers buveurs de bière?

La bière n'est pas la plus ancienne boisson alcoolisée, bien qu'elle soit connue depuis plusieurs millénaires. Les Babyloniens et les Assyriens en buvaient déjà, et des archéologues ont découvert les restes d'une brasserie de l'Égypte ancienne.

Pourquoi les Égyptiens ont-ils bâti des pyramides?

Les pyramides servaient de tombeaux aux rois (pharaons) et aux reines de l'ancienne Égypte. Les Égyptiens croyaient en une vie éternelle après la mort, à condition que le corps soit conservé dans le meilleur état possible (d'où l'embaumement). Pour assurer au défunt une vie confortable dans l'au-delà, on l'entourait de nourriture et d'objets quotidiens. Les pyramides étaient aussi des monuments témoins de la puissance et de la richesse des souverains.

Pourquoi les Romains ont-ils bâti leurs routes en ligne droite?

La droite est la plus courte distance entre deux points. Partout où cela était possible, il était judicieux de construire ainsi les chaussées romaines. Les Romains mirent au point des techniques nouvelles, nécessaires pour ce genre de construction.

Pourquoi appelle-t-on vandales ceux qui détruisent sans nécessité?

Les Vandales, une tribu de barbares germaniques, envahirent une grande partie du sud de l'Europe et mirent Rome à sac en l'an 455 de notre ère. Ils avaient coutume de détruire tout ce qui se trouvait sur leur passage; mais en cela, toutefois, ils ne différaient pas beaucoup des autres tribus barbares.

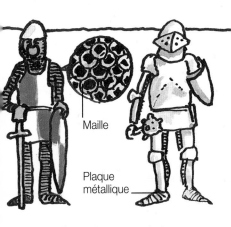

Maille

Plaque
métallique

Les chevaliers ont-ils vraiment porté une telle armure?

Au Moyen Âge, les chevaliers étaient des seigneurs qui possédaient des terres et combattaient à cheval. Jusqu'en 1300 environ, les chevaliers portèrent au combat une cotte de mailles faite d'anneaux de fer reliés les uns aux autres. On y ajouta des plaques de métal. Vers 1400, l'armure en était entièrement constituée. Elle était beaucoup moins souple que la cotte de mailles, mais assurait une meilleure protection. Les chevaliers respectaient un code de conduite et devaient protéger pauvres et faibles.

Pourquoi appelle-t-on Indiens les peuplades indigènes d'Amérique?

En fait, c'est dû à une erreur. Quand, traversant l'Atlantique, Christophe Colomb découvrit l'Amérique, il cherchait une route vers les Indes (qui comprenaient alors l'Inde et l'Asie orientale). Pensant qu'il était parvenu au but de son voyage, il appela Indiens les indigènes d'Amérique.

Pourquoi a-t-on cessé de bâtir des châteaux forts?

Les seigneurs bâtissaient des châteaux forts pour se protéger. Pendant longtemps, il fut très difficile d'y pénétrer en attaquant. Le seul moyen était de leur faire subir un très long siège. Avec l'invention de la poudre à canon, on put ouvrir des brèches dans les murs. Les châteaux forts ne remplissant plus leur mission, on cessa d'en construire.

D'où les pays tirent-ils leurs noms?

On baptise souvent un pays du nom de ses habitants à une époque de son histoire. Par exemple, la France est le pays des Francs et l'Angleterre celui des Angles. Toutefois, l'origine du nom peut être différente. L'Amérique, par exemple, doit son nom à Amerigo Vespucci, navigateur florentin qui fut le premier à atteindre l'Amérique en réalisant que c'était un continent nouveau (Colomb ne s'en était pas rendu compte).

Comment a-t-on découvert que la Terre était ronde?

Au Moyen Âge, on croyait généralement que la Terre était plate. Vers 1400, beaucoup commencèrent à penser qu'elle pourrait être ronde. Ils n'en avaient pas la preuve, toutefois, jusqu'à ce qu'un navigateur tente de faire le tour du monde. En 1519, Magellan quitta l'Espagne, contourna la pointe sud de l'Amérique du Sud et atteignit les Indes.

Ferdinand Magellan

49

Pourquoi Gengis Khān a-t-il une réputation si effroyable?

Gengis Khān et ses hordes mongoles ont conquis une grande partie de l'Asie centrale au début du 13e siècle. Ils semblaient invincibles. Les Mongols exécutaient presque toujours leurs prisonniers, ne laissaient derrière eux que bain de sang, ruines et terres brûlées, et faisaient régner partout la terreur. Parmi son propre peuple, toutefois, Gengis Khān fit respecter la loi et régner l'ordre. Il encouragea aussi l'instruction.

Pourquoi Alexandre le Grand fut-il dit «grand»?

Alexandre régna sur la Macédoine (une partie de la Grèce antique) plus de 300 ans av. J.-C. Grand général, il avait conquis un empire qui s'étendait de l'Égypte à l'ouest de l'Inde. Il répandit la civilisation grecque – la plus avancée de son temps – dans les territoires conquis.

Dracula a-t-il réellement existé?

Le comte Dracula est un personnage inventé par un auteur anglais dans un roman de l'époque victorienne (19e siècle) sur les vampires. Le roman était basé sur de vieilles légendes au sujet de Vlad Tepes, un prince de Transylvanie qui, au 15e siècle, aurait commis des centaines de meurtres.

Drake a-t-il vraiment terminé sa partie de quilles alors que l'Invincible Armada attaquait?

Il est possible que Drake jouait aux quilles alors que la flotte espagnole approchait de l'Angleterre et possible aussi qu'il ait terminé la partie avant de gagner son navire. L'Armada était encore trop loin pour attaquer, et sa flotte était bien préparée. Toutefois, il s'agit probablement d'une légende destinée à mettre en valeur le courage de ce grand héros populaire.

Vlad Tepes

MACÉDOINE

BACTRIANE

PERSE

PARTHIE

ÉGYPTE

Alexandre le Grand

Francis Drake

Gengis Khān

Pourquoi Ivan le Terrible a-t-il été appelé ainsi?

Ivan le Terrible monta sur le trône de Russie en 1547. Cruel et sans pitié, il fit régner un régime de terreur. Pour faire appliquer des réformes mal accueillies par les paysans, il n'hésita pas à procéder à de nombreuses exécutions. Soupçonnant la ville de Novgorod de vouloir se rattacher à la Pologne, il la saccagea et massacra 60 000 habitants. Il tua aussi son fils aîné de ses propres mains. Ce n'est qu'après une série de victoires sur les envahisseurs mongols qu'il fut appelé «le Terrible».

Pourquoi Nelson a-t-il demandé à Hardy de l'embrasser?

Nul ne le sait; Nelson étant mort peu après n'a pu s'en expliquer. Beaucoup pensent qu'en fait, il n'a pas dit «kiss me» (embrassez-moi), mais «kismet», qui signifie destin. L'amiral a sans doute voulu dire qu'il acceptait de mourir à Trafalgar après la victoire qu'il venait d'y remporter.

Pourquoi Napoléon est-il souvent représenté la main sur l'estomac?

Napoléon était un empereur puissant. S'il est représenté ainsi, c'est donc qu'il l'a voulu. Il pensait peut-être qu'il était plus élégant de glisser la main sous le gilet! Quoi qu'il en soit, il se promenait souvent ainsi parce qu'il digérait difficilement.

Pourquoi Churchill levait-il toujours deux doigts?

Churchill fut souvent photographié ainsi durant la Deuxième Guerre mondiale. Les deux doigts formaient le V de victoire. Churchill voulait dire par là «Courage et patience. Nous vaincrons.»

Pourquoi le père Noël descend-il par la cheminée?

Saint Nicolas est à l'origine de la légende du père Noël. Cet évêque, qui vivait au 4e siècle en Asie mineure, aimait les pauvres et les aidait. Certaines habitations de la région n'avaient qu'une entrée: un trou dans le toit, qui laissait sortir la fumée du feu et permettait aux habitants de descendre par une échelle. Le seul moyen d'entrer était de passer par la cheminée.

Ivan le Terrible

Napoléon Bonaparte

Churchill

Nelson

51

D'où vient l'habitude de fumer?

Les Indiens d'Amérique semblent avoir été les premiers à fumer. Ils ne fumaient pas tous du tabac. Certains, par exemple, fumaient de l'écorce de saule. Au 16e siècle, plusieurs grands voyageurs ramenèrent en Europe du tabac d'Amérique du Sud: Jean Nicot (d'où le nom de nicotine) l'introduisit en France, Sir Walter Raleigh en Angleterre et Peter Stuyvesant aux Pays-Bas. Dès cette époque, les Européens prirent l'habitude de fumer.

A-t-on bu du thé au Boston Tea Party?

Le Boston Tea Party fut loin d'être une réunion mondaine où on buvait du thé! Il s'agit en fait de l'attaque, en 1773, par des colons américains, de navires britanniques ancrés dans le port de Boston. Les colons, qui s'opposaient à une taxe que le gouvernement britannique avait décrétée sur le thé, ont déchargé la cargaison dans les eaux du port.

Qu'entend-on par révolution industrielle?

La révolution industrielle, à la fin du 19e siècle, fut une période riche en innovations techniques, principalement dans l'industrie. Mais ce n'est pas ce que l'on entend par révolution. Par ce mot très fort, on veut indiquer que les changements qui ont eu lieu ont été tels qu'ils ont bouleversé la vie des gens et littéralement révolutionné tant l'économie et l'histoire du monde que le développement des sciences.

L'une des principales inventions de la révolution industrielle fut celle de la machine à vapeur.

52

NATURE

Comment le caméléon change-t-il de couleur?

On exagère souvent la faculté qu'a le caméléon de changer de couleur. Le caméléon ne peut pas prendre toutes les couleurs (par exemple, il ne peut pas devenir rouge vif). Son mimétisme est néanmoins extraordinaire. Sous la peau du caméléon, on trouve trois couches de cellules pigmentaires: une rouge, une jaune et une brune. Elles peuvent se contracter ou s'étendre, produisant ainsi une large gamme de couleurs et modifiant de ce fait la couleur de la peau. Le caméléon change de couleur à la fois pour se camoufler et pour manifester son humeur du moment.

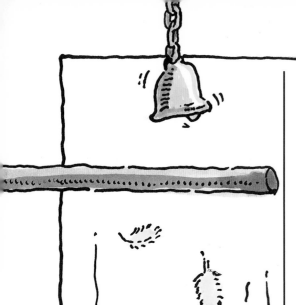

Comment se déplace le ver de terre?

Le ver de terre est divisé en plusieurs segments ou anneaux. Chaque segment peut s'étirer et s'affiner comme il peut aussi se contracter et gonfler. Des soies fines sont situées sous les segments. Quand le ver veut avancer, les segments des parties médiane et arrière s'accrochent au sol à l'aide de leurs soies. La partie antérieure s'étire et se fixe à son tour. Les soies étant orientées vers l'arrière, le corps glisse plus facilement vers l'avant. Le milieu du corps s'allonge à son tour et, enfin, l'extrémité. Le ver de terre avance exactement de la même façon quand il creuse une galerie sous terre.

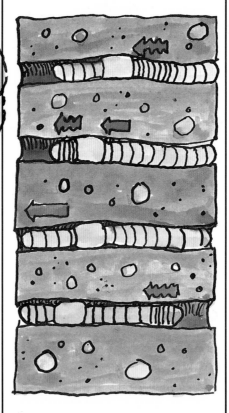

Ver de terre

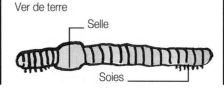

Selle

Soies

Pourquoi les oiseaux ne tombent-ils pas de leur perchoir quand ils dorment?

Les oiseaux se perchent très souvent sur les arbres. Leurs pattes sont faites de telle sorte que lorsqu'ils s'agrippent aux branches, les muscles et tendons sont au repos. Si tu as l'occasion de voir un oiseau mort, tu remarqueras que ses doigts sont recourbés. Quand les oiseaux dorment, ils s'agrippent au perchoir. Ce réflexe les empêche de tomber.

Pourquoi les poissons nagent-ils en banc?

Les poissons nagent groupés en banc pour mieux se protéger des prédateurs. Un prédateur sera plus sûrement repéré par tant de paires d'yeux. S'il attaque, il sera peut-être dérouté par le grand nombre de poissons. Et pour chaque poisson, le risque d'être attrapé est réduit. Environ une espèce de poisson sur cinq vit régulièrement en banc. Mais de nombreux autres poissons se groupent aussi lors du frai. En banc, les poissons fendent aussi plus facilement l'eau.

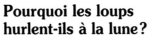

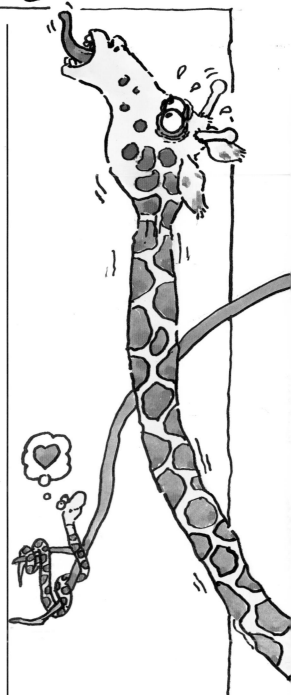

Pourquoi les loups hurlent-ils à la lune?

Il n'est pas certain que les loups hurlent réellement à la lune. Sans doute cette légende a-t-elle pris naissance parce qu'on peut seulement voir les loups hurler lorsque la lune luit. Mais les loups hurlent aussi par une nuit sans lune. Personne ne sait au juste à quoi correspond ce hurlement. Ce pourrait être une forme de communication.

Les hyènes rient-elles vraiment?

Le hurlement des hyènes ressemble au rire de l'homme. Si elles le pouvaient, les hyènes n'auraient d'ailleurs peut-être pas envie de rire. Elles ont mauvaise réputation, qui n'est pas justifiée. Certes, elles se nourrissent de charognes: ce sont des animaux nécrophages. Elles sont aussi d'excellents chasseurs.

Pourquoi l'éléphant a-t-il de si grandes oreilles?

Avec sa masse énorme, l'éléphant risque de souffrir d'insolation dans la savane où l'ombre est rare. Ses grandes oreilles l'aident à se rafraîchir, un peu comme le radiateur d'une voiture. Le sang chaud qui afflue à la surface des oreilles est rafraîchi par la brise. L'éléphant accélère encore le refroidissement en agitant les oreilles dans l'air.

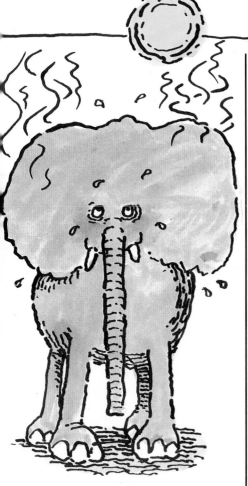

Pourquoi la girafe a-t-elle un si long cou?

La girafe vit dans des régions où la nourriture peut être rare, surtout durant la saison sèche. À cette période, la rivalité est donc grande entre tous les animaux qui broutent. Grâce à son long cou et à ses hautes pattes, la girafe n'a aucune difficulté à manger les feuilles qui sont hors de portée des autres animaux.

Comment sait-on à quoi ressemblaient les dinosaures?

Lorsqu'un dinosaure venait à mourir, son corps était parfois recouvert de boue ou de sable. Durant des milliers d'années, les couches ainsi superposées se sont transformées en roche sous l'action de la pression. Des minéraux sédimentaires se sont infiltrés dans les restes de l'animal. Transformés en roche, ils formèrent un fossile minéralisé. Les parties molles du corps se décomposant rapidement, seules les parties dures (os ou dents) se fossilisent généralement. Des œufs, des empreintes, des plantes peuvent également être fossilisés. Quand un fossile est découvert, il est exhumé avec soin et ses parties assemblées pour former le squelette.

Un dinosaure meurt.

La boue le recouvre peu à peu.

Le dinosaure se fossilise au fil des siècles. Des mouvements de l'écorce terrestre ou des fouilles mettent à jour le fossile.

Comment les bébés dinosaures venaient-ils au monde?

Le dinosaure était une sorte de reptile primitif. Comme les reptiles actuels, il pondait des œufs dont la taille variait en fonction de celle du dinosaure. Le plus grand mesurait plus de 30 cm.

Éclosion d'un œuf de dinosaure

Quelle était la taille du plus petit dinosaure?

Le plus petit dinosaure découvert à ce jour, le *Compsognathus*, avait à peu près la taille d'un gros poulet. Il ne mesurait que 75 cm du nez à l'extrémité de la queue et ne pesait pas plus de 6,8 kg.

Compsognathus

Quel est le plus grand dinosaure?

C'est difficile à dire, car tous n'ont sans doute pas encore été découverts. De plus, quand on ne trouve pas le squelette entier de l'animal, on ne peut qu'estimer approximativement sa taille. Le plus grand et le plus lourd dinosaure dont on a retrouvé le squelette entier est le brachiosaure. Il mesurait 6 m au garrot et pesait probablement de 35 à 50 t. Mais l'ultrasaure pourrait avoir mesuré 30 m de long et pesé 130 t.

Certains dinosaures pouvaient-ils nager ou voler?

Certains reptiles volaient et nageaient à l'époque des dinosaures, mais ils ne sont généralement pas considérés comme dinosaures. On peut citer comme reptile volant l'énorme *Quetzalcoatlus northropi*, un ptérosaure de 12 m d'envergure. Le plésiosaure et l'ichthyosaure savaient nager.

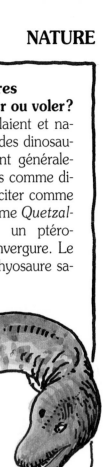

Ultrasaure

Quetzalcoatlus

Brachiosaure

Plésiosaure

Ichthyosaure

Qu'est-il arrivé aux dinosaures?

Personne ne sait exactement pourquoi les dinosaures ont brusquement disparu. On pense qu'il y a environ 65 millions d'années, le climat s'est refroidi rapidement, entraînant un changement de végétation. Il n'y avait plus beaucoup de nourriture pour les herbivores. Ils périrent donc, et il n'y eut plus alors assez de nourriture pour les carnivores. Une longue période de glaciation pourrait aussi avoir provoqué directement l'extinction des dinosaures. Aucune fourrure ne les protégeait du froid.

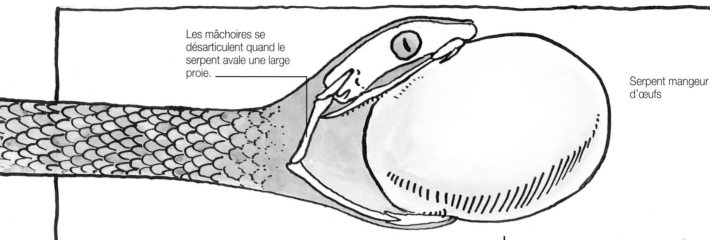

Les mâchoires se désarticulent quand le serpent avale une large proie.

Serpent mangeur d'œufs

Comment le serpent peut-il avaler une proie plus large que sa tête?

Certains serpents, comme les pythons et les serpents mangeurs d'œufs, peuvent avaler des proies plus larges que leur tête. Un python dont la tête a un diamètre inférieur à 30 cm, peut avaler une antilope dont le corps peut atteindre plus d'un mètre de large. Ce mystère s'éclaircit lorsqu'on sait que les mâchoires du serpent sont très mobiles et peuvent même se désarticuler. De plus, la peau, de chaque côté de la gueule, est très extensible. Le serpent peut donc agrandir très fort la gueule.

Comment les pigeons voyageurs retrouvent-ils leur chemin?

Certains scientifiques pensent que les pigeons détectent le champ magnétique de la Terre. Ils voleraient en utilisant une sorte de boussole interne. D'autres pensent qu'ils volent en se basant sur la position du Soleil. Qui a raison? Impossible de le dire. De toute manière, il est certain que les pigeons lâchés à plus de 2 000 km de chez eux retrouvent le chemin de leur pigeonnier.

Les poissons dorment-ils?

Quand un poisson dort, son cerveau reste en activité, et ses autres fonctions sont ralenties. Le poisson ne peut pas fermer les yeux puisqu'il n'a pas de paupières, mais il devient moins conscient de son environnement. Les poissons dorment donc mais pas comme les mammifères.

Une vache peut-elle ne plus avoir de lait?

La vache peut donner du lait durant la plus grande partie de sa vie, mais seulement si elle est traite régulièrement. Elle commence à avoir du lait après la naissance d'un veau et elle en aura tant que le veau en aura besoin. Elle donnera donc du lait aussi longtemps qu'elle sera traite. Mais la maladie ou un choc violent peut faire cesser la production de lait. Normalement, la vache peut avoir un veau par an.

Pourquoi les poissons de l'océan Arctique ne gèlent-ils pas?

Dans l'océan Arctique, la température de l'eau peut être inférieure à 0°C, température à laquelle l'eau gèle normalement, car l'eau salée gèle moins vite. Les poissons, eux, risqueraient de geler s'ils n'avaient pas dans leur corps des substances spéciales, appelées glycoprotéines. Ces substances agissent comme l'antigel que l'on met en hiver dans le radiateur d'une voiture.

Pourquoi le zèbre a-t-il des raies noires et blanches?

C'est un camouflage. Cela peut paraître surprenant. On pourrait en effet penser que ces bandes rendent le zèbre très visible. En fait, elles brisent sa silhouette. À distance, on distingue donc moins bien l'animal. Si un troupeau de zèbres est attaqué, toutes ces raies en mouvement peuvent troubler le prédateur. Durant la Première Guerre mondiale, les navires de guerre étaient peints de larges bandes noires et blanches. Ce camouflage avait pour but de gêner l'ennemi et de l'empêcher de bien ajuster le tir.

Pourquoi y a-t-il souvent des araignées dans la baignoire?

Il y a plus d'araignées que tu crois dans une maison. Si une araignée se risque imprudemment dans une baignoire, elle ne pourra plus en sortir: les parois sont trop glissantes. Elle est prise au piège.

Pourquoi les chats ronronnent-ils?

Le ronronnement du chat est un moyen de communication. Il indique le contentement. Les chats ont deux jeux de cordes vocales, ce qui est inhabituel. Des scientifiques pensent qu'ils utilisent le jeu du dessous pour les sons aigus (pour miauler) et le jeu du dessus pour les sons graves, le ronronnement et les grognements.

Pourquoi les chauves-souris se pendent-elles la tête en bas?

De nombreuses espèces de chauves-souris vivent dans des grottes ou d'autres endroits obscurs. Elles sont plus en sécurité en ne reposant pas par terre. Mais dans les cavernes, il n'y a pas grand-chose à agripper, à part le plafond. C'est pourquoi les chauves-souris s'y pendent, la tête en bas. Les chauves-souris cavernicoles ont des griffes adaptées aux parois rocheuses, pour pourvoir s'y cramponner.

Pourquoi les plantes sont-elles généralement vertes?

Les plantes fabriquent leur nourriture par un processus appelé photosynthèse. Les feuilles contiennent une substance spéciale, la chlorophylle, qui est normalement verte. C'est la chlorophylle qui utilise l'énergie lumineuse pour transformer en sucres du gaz carbonique et de l'eau. Chez quelques plantes, comme l'algue rouge, la chlorophylle est d'une autre couleur.

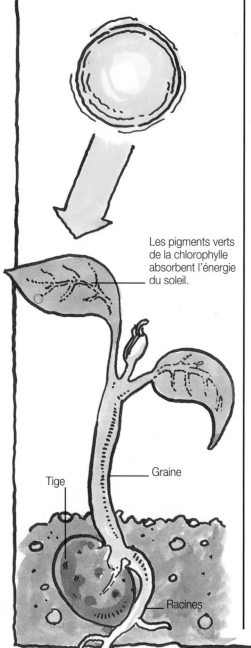

Les pigments verts de la chlorophylle absorbent l'énergie du soleil.

Tige

Graine

Racines

Pourquoi certaines plantes sont-elles carnivores?

Les plantes carnivores, comme la drosera, la grassette, le népenthès et la dionée gobe-mouches, poussent dans des terrains marécageux. Le sol y est pauvre et manque notamment d'azote, si important pour la fabrication des protéines et de substances similaires. Pour compenser, ces plantes attrapent des insectes qui leur apportent beaucoup d'azote ainsi que d'autres minéraux.

Comment les raisins sans pépins se reproduisent-ils?

Les raisins sans pépins n'ont pas de graines leur permettant de produire de nouveaux plants. Ils ne peuvent se reproduire que par l'intervention de l'homme. Des sarments prélevés sur cette espèce sont greffés sur la tige d'une autre espèce de raisin. En fait, c'est ainsi que les vignerons procèdent pour la reproduction de la majeure partie des variétés de raisins.

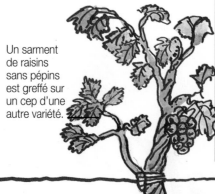

Un sarment de raisins sans pépins est greffé sur un cep d'une autre variété.

Pourquoi le haricot sauteur bouge-t-il?

À lui tout seul, un haricot sauteur est incapable de bouger. C'est la chenille qui se trouve à l'intérieur qui le fait bouger. Un papillon de nuit a pondu un œuf dans le haricot, et la chenille y a éclos. La chenille mange l'intérieur du haricot. Ce sont ses mouvements qui agitent le haricot. En réalité, il ne saute pas vraiment; il roule plutôt.

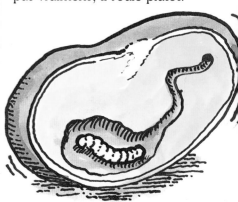

Pourquoi les cactus ont-ils tant de piquants?

Les cactus poussent dans des régions très sèches. Ils emmagasinent le plus d'eau possible dans leur tige charnue. Les animaux qui vivent dans ces contrées quasi désertiques ont aussi des difficultés à se procurer de l'eau en quantité suffisante. Un cactus tendre et juteux serait alors bien tentant s'il n'avait pas toutes ces épines! Les épines protègent donc le cactus et l'empêchent d'être mangé.

Pourquoi les arbres perdent-ils leurs feuilles en hiver?

Durant l'été, les arbres pompent l'eau du sol. L'eau monte dans le tronc et les branches, et s'évapore par les feuilles. Au fur et à mesure de l'évaporation, les racines continuent à aspirer l'eau du sol. En hiver, le sol est souvent gelé. L'arbre ne peut donc plus pomper l'eau par ses racines. S'il ne perdait pas ses feuilles, il risquerait de voir s'évaporer l'eau qu'il contient et d'en mourir. Dans les pays chauds, certains arbres perdent leurs feuilles en été pour économiser l'eau.

ÉTÉ

L'eau s'évapore par les feuilles.

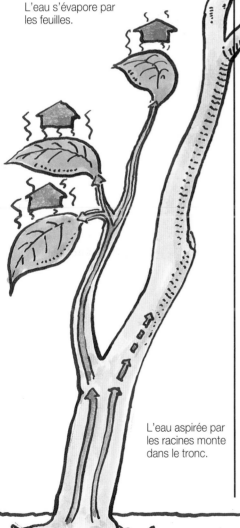

L'eau aspirée par les racines monte dans le tronc.

HIVER

Les feuilles tombent.

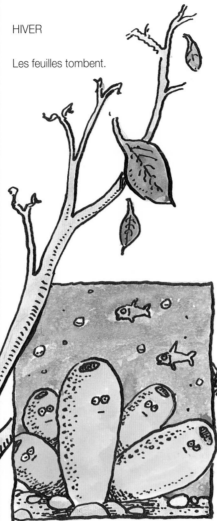

L'éponge est-elle un animal ou une plante?

On pense généralement que l'éponge est une plante. Comme une sorte d'algue, elle vit en effet attachée au fond de la mer. Cependant, l'éponge est un animal. Les éponges peuvent avoir des formes complexes, mais leur structure interne est très simple. Elles n'ont ni tête, ni système nerveux, ni organes spéciaux. En fait, chaque éponge ressemble plutôt à une colonie de minuscules animaux. Si tu réduis une éponge en cellules individuelles (en la passant dans un fin tamis), les cellules se regrouperont pour former une nouvelle éponge.

Quelle est la plus vieille créature vivante sur Terre?

Les arbres vivent beaucoup plus longtemps que n'importe quel autre végétal. Pour connaître l'âge d'un arbre, compte les anneaux de son tronc: un anneau (une couche claire et une foncée) = un an. Le plus vieil arbre est aussi la plus vieille créature vivante C'est un pin aristé de Californie âgé de plus de 4 600 ans.

Pin aristé

INDEX